Mein kaputtes Heldentum

Bellevue

Mein kaputtes Heldentum

Katharina Körting

Die Deutsche Bibliothek verzeichnet diese Publikation
in der Deutschen Nationalbibliografie.
Detaillierte bibliografische Daten sind im Internet
abrufbar unter
http://dnb.d-nb.de

1. Auflage April 2019

www.marta-press.de

Printed in Germany.
ISBN 978-3-944442-19-8

Die Wirklichkeit muss entdeckt und entworfen werden. Die Dinge müssen lernen, die Dinge nicht mehr im Medium jenes Gesetzes und jener Ordnung zu sehen, das sie geformt hat; der schlechte Funktionalismus, der unsere Sinnlichkeit organisiert, muss zerschlagen werden.

Herbert Marcuse

Ich höre der Gegenwart zu, wie sie Bedeutung enttarnt, eine nach der anderen: Ich erzähle keine Geschichte – ich erzähle Gedanken.

Eltern

Wähntest du etwa,
Ich sollte das Leben hassen,
In Wüsten fliehen

J. W. von Goethe

I

Meine Eltern haben eine dysfunktionale Tochter, und das bin ich. Wenn ich „ich" schreibe, also von „mir" rede, ist damit ein beispielhafter Mensch gemeint. Ein Exemplar. „Ich" bringt rüber was „man" nicht könnte, weil es zu allgemein wäre, während ein bestimmter Name, meiner zum Beispiel, zu speziell wäre. „Ich" ist beides: allgemein und besonders [nicht beliebig!]. Was ich schreibe, ist unmittelbar wahr oder falsch, weil es eine Behauptung ist. Jeweils.

II

Ich funktioniere so gut, dass ich vergesse, wer ich bin. Dann falle ich aus: Ich ticke zu schnell.

Die Schnelligkeit um mich herum spiegelt sich in meiner eigenen, beide blenden mich. Verblendet funktioniere ich. Manchmal tut es gut, meistens tut es weh. Wie bei jedem Heldentum. Ein Strom von Traurigkeit, der nie versiegt.

Ich schwimme, ich treibe, ich leg ihn nicht trocken. Ich eile, ich renne, ich hetze, ich greife. Kein Handgriff, kein nicht gelesenes Buch enden diesen Fluss. Immer ist er auf zu neuen Meeren: daheim.

Alles, was ich *mal eben* erledige, scheinbar leicht und immer flink, in mir selbst vorauseilendem Gehorsam, jeder meiner inneren Stimmen gefallen und gehorchen zu wollen, hinterlässt Spuren. Bleibende Leerstellen, Zeuginnen der Achtlosigkeit. Nie kann ich jede Stimme erhören, immer schreit mindestens eine weitere mir zu, mich an, oder flüstert, *das fehlt doch noch, da ist noch was.* Auch ihre künftige Spur ist in meine Knochen geritzt, wird in meine Seele gestrichelt, von mir selbst oder ich weiß nicht, von wem eigentlich, mit Hammer und Meißel, geleugnet von meinem Geist, doch immer, im Grunde, gewusst.

Werde ich krank, wie jetzt, zeige ich es nicht, darf es nicht sein. Krank bin ich niemandem recht. Meine Mutter war Ärztin, wir Kinder hatten gesund zu sein. Gesund heißt funktionsfähig. Wie soll ich all die Vergangenheit in die Zukunft schleppen?

Die stimmbrüllenden Imperative verhindern jeden Hort.

Da schreib ich „Ich bin ein Tau, das ich nicht lassen kann. An beiden Enden zieht jemand, ich, oder du, immer ich, und du, und nie reißt es." Das ist meine Krankheit. Sie schreibt sich selbst.

Dies gilt es, nüchtern, festzuhalten. Das einzige, das anhält: der schwarze Buchstabe auf dem weißen Papier, eingespannt in die mechanische Schreibmaschine, strom- und flimmerfrei, ohne Korrekturprogramm, ohne 50.000 Stimmen im Hintergrund, nur das Klackern nachvollziehbarer Tasten vor mir, deren Funktionsweise sich arglos offenbart, manchmal etwas Öl verlangt, ein Staubtuch, einen freundlichen Blick, eine neue Farbspule. Da zappeln sie, die metallenen Stanzen, eingespannt in diese Illusion: den Nagel auf den Kopf treffen. Sich beim Schopf packen und ziehen, ziehen, ziehen – doch wohin? Wohin?

Ich ziehe.

Von innen reißt es, zerreißt jedoch nie.

Immer ziehe ich weiter, denn ich bin dysfunktional, was sollte ich anderes tun, anderes sein.

Ich treffe stets den Nagel auf den Kopf, und der Nagel bin ich. Er steckt tief im splitternden Holz, doch nie bricht es. Der Regen hält es feucht, es verwittert nur.

Ich stelle mir vor, eine Bank zu sein, draußen im Park, mit Blick auf den See. Eine Bank blickt ja nicht, aber in der Richtung steht die Bank. Zum See hin. Wie schreibt man das. Was weiß man schon. Eine Bank mit Blick auf den See und Geschichte. Auf meinem Holz haben schon viele Zigaretten ihr Dasein ausgehaucht, ich trage bunte Wunden davon, und unerquicklicher Alkohol von der Sorte, der laut macht, fasert in mir. Ich sage nichts dazu, auch nicht, als sie mich auf das Eis stellen, im Winter, und die Nacht dort stehen lassen. Mein anderes Ich geht hin und sieht es, geht zum See und sieht es, doch traut sich nicht, mich zu retten vorm Tauen.

Ich sinke. Unwiderruflich. Nun leiste ich den Fischen Gesellschaft, die Schwäne reiben ihre Flossen an mir, es gluckert, und nirgendwo tickt eine Uhr. Auch nicht in mir. Die Stimmen sind weit entfernt, sind fast so verstummt wie ich.

Aber ich bin keine Bank und weiß das auch, denn ich bin ja nicht blöd, nur dysfunktional. Also irgendwie *behindert*. Anders. Es gibt viele, die machen sich über „Behinderte" lustig, weil sie nicht darüber nachdenken möchten, wie behindert sie ihr eigenes Leben leben, indem sie funktionieren wie geschmiert. So wie ich, aber mir geht die Schmiere aus, und ich tue beides: funktionieren und mir dabei Sand ins Getriebe streuen. Diese Buchstaben, ausgestreut auf der Bank, mit Blick auf den See und Geschichte. Zum Ausruhen.

Vielleicht bin ich doch eine Bank. Es wäre ein Spiel.

III

Der Vater parkt in der zweiten Reihe, um in Bruchteilen von Minuten seinen Vaterpflichten nachzukommen [Geburtstag, Weihnachten, Wiegehtesdir]. Die Antwort auf Wiegehtesdir würde zu lange dauern für die zweite Reihe. Ich kann sie ihm nicht geben. Manchmal habe ich es versucht, aber er hört nicht. Die Antwort auf Wiegehtesdir würde ihn überfordern. Wir verweigern einander die Antwort auf Wiegehtesdir, seit ich denken kann. Er ist ein Getriebener wie ich. Sein schlechtes Gewissen wiegt schwer, nehme ich an. Das tut mir leid. Ich will es ihm leichter machen, indem ich noch besser funktioniere. Keine-UrsachePapaallesistgut. Einmal, als ich krank liege – das passiert mir eigentlich nie, aber manchmal eben doch – kommt er unangemeldet mit Blumen. Das ist gleichzeitig kostbar und peinlich. Zur Geburt meiner Kinder brachte er auch Blumen. Auch peinlich. Ich habe keinen Erfolg in dieser Welt, sondern im Gegenteil, und auch nicht Geburtstag, sondern ich bin krank. Funktioniere nicht! Er versucht, sich wie ein nicht Getriebener zu verhalten und mein kaputtes Heldentum zu übersehen. Das fällt ihm nicht so schwer, denn er schaut seine Töchter nicht an. Er schiebt sich selbst immer dazwischen, sein Sicherheitspuffer. Vielleicht fürchtet er den freien Raum zwischen sich und einem anderen Menschen, in dem Begegnung stattfinden könnte: das ungerichtete Dazwischensein, das nur in der Freiheit entstehen kann, etwas geschehen zu lassen. [Ich weiß es nicht.]

IV

Meine Töchter ziehe ich weitgehend allein groß. [Ich hoffe, dass ich nicht zu sehr ziehe.]

Ich habe sie früh in die Krippe gegeben, die erste mit neun Monaten, die zweite mit einem Jahr. Das war vermutlich gut für uns drei, aber ich habe gar keine Alternative überlegt und weiß nicht, welche Stimmen mir gesagt haben, dass ich alles auf einmal und möglichst ohne belastet zu wirken, *schaffen* muss. Sicherlich die Mutterstimme und die Vaterstimme, aber auch allerlei andere Stimmen. Frauen müssen arbeiten und Kinder haben. Der Vater meiner Töchter funktioniert nicht, zu früh hat man ihm eingetrichtert, dass er es muss, aber nicht kann. Dass er unfähig sei. So wurde er unfähig. An mir lässt er es aus. Ich hänge die Wäsche falsch auf und ticke auch sonst nicht richtig, sagt er. Ich trenne mich, bevor wahr wird, was er sagt.

Meine Töchter werden Trennungskinder wie ich. Die Kleine bekommt Asthma und spricht spät. Ihr Vater zieht uns nach, zieht ins selbe Haus, zetert noch lange in meinen Ohren, gelernt ist gelernt. Erst spät beginne ich zu sehen, dass er schwer krank ist, dass ich mich aber davon nicht auch noch anstecken lassen muss.

V

Viele Leute in meiner beruflichen Umgebung lästern gern, am liebsten über Kunstmacher.

Es fuchst sie, dass andere Geld dafür kriegen, nicht zu funktionieren, während sie selbst sich bemühen, in jeder Hinsicht zu funktionieren. Sie mögen Kunst, aber die Kunstmacher müssen berühmt oder tot oder besser noch beides sein, um ihre unironische Anerkennung zu erhalten: Wenn ihr Ruhm bewiesen hat, dass sie ihnen nicht *umsonst* Aufmerksamkeit schenken. Wenn das Risiko tot ist, oder jedenfalls unsichtbar. Das Risiko, das ein Kunstmacher auf sich nimmt, einfach, indem er lebt und arbeitet, wie er es nicht anders kann, die Gefahr des Scheiterns noch deutlicher als andere täglich vor Augen, in den Händen. Dieses Risiko ist vielen Leuten unheimlich. Sie fühlen sich davon bedroht, mutmaße ich, oder die Kunstmacher erinnern sie an eine andere Möglichkeit, die sie selbst [ich spekuliere], mühsam genug, von sich abgestoßen haben, um gut funktionieren zu können. Nähmen sie Kunst und Kunstmacher ernst, mit Herz und Sinnen und Geist, wäre ihr eigenes Funktionieren bedroht. Sie leben ihr frageloses, joviales Leben auf Kosten der Kunstmacher, über die sie sich lustig machen. Sie glauben, sie müssten das tun, *vielleicht* glauben sie das. Vielleicht denken sie aber auch gar nicht darüber nach.

Das Lästern über Kunstmacher, das Nichtdarüberreden und das Nichtdarübernachdenken sind Gründe, warum ich kündigen werde. Ich weiß das, lange, bevor ich es tue.

VI

Wenn ich etwas nicht verstehe, frage ich. Wenn ich Angst habe, tue ich. Wenn ich weine, schreibe ich. Wenn ich Erfolg habe, weiß ich nicht.

Ich weiß, dass ich sterben werde und kann es mir nicht vorstellen. Es ist ein täglicher Gedanke, der mir hilft, der Lebenstatsache ins Auge zu schauen [sozusagen, denn da ist ja kein Auge, nur, wenn es zu glauben gibt, ein Geist, eine Liebe, ein Fernes, eine Nähe, aber was heißt nur? Nichts!].

Ich bin krank und trinke Kamillentee und kann mich nicht ausruhen. Auch im Schlaf zerre ich an den Gedanken meiner ausgewachsenen Dummheit, lasse nicht ab von dem Puzzle, als wüsste ich nicht genau, dass nicht nur ein Teil fehlt. Und nicht nur die Vollständigkeit. Ich kann mich nicht ausruhen.

Warum?

Wenn ich etwas nicht weiß, schreibe ich. Eigentlich müsste ich den ganzen Tag schreiben, und die Nacht auch, denn in der Nacht werden die Worte magisch, in der Nacht hallen sie in meinem Herzen, und manchmal weiß ich in der Nacht ganz genau, was ich sofort beim Aufwachen wieder vergesse: den Grund. Oder das Ziel. Oder mich. Wie es besser ginge, auch mir. Und was ich tun und lassen müsste, um – was?

Was ist Erfolg? Lässt er mich nicht ausruhen? Darf ich ohne ihn nicht sein?

Kann ich verhindern, dass seine Geier sich in meinem Haar einnisten? Kann ich ihnen mit Hilfe dieser mechanischen Schreibmaschine entkommen – oder holen sie mich auch hier ein? Sitzen sie in den Buchstaben, die ich so unabhängig brauche, und die von so vielem abhängig sind?

VII

Als Kinder lebten wir, die Schwester und ich, in einer Gewitterwolke aus Sex. Ich führe diese Wolke mit mir, ziehe ihre Schwere hinter mir her wie einen missratenen Fluss. Trage sie unter der Haut, ein leiser Puls. Ich will darüber nicht weinen und kann es auch nicht. Woher sollte ich die Tränen nehmen? Ich will nicht weinen, sondern schreiben.

Wie ich da lag, einmal oder oft oder immer, im Bett meiner Mutter. Ein großes Bett in einem riesigen Raum, von vielen Seiten zugänglich, offene Türen, Fenster ohne Vorhänge. Ich lag, sie lag, der Mann kam dazu, der vögelte und schlug. Manchmal vögelte er nur, manchmal schlug er nur, manchmal abwechselnd. Meine Mutter erklärte, dass sie ihn liebte. Ich hasste ihre Liebe. Sie liebte es, wie er grob in sie drang und stöhnte dazu und schickte mich nicht fort, sondern strich mir über die Hand, immer hin und her, über meine Haut, drang in mich mit ihrer Lust, die mir Angst machte, von der mir schlecht wurde, die mich erregte, so dass ich mir ekelig wurde wie, Jahre später, die Mutter.

Ich schaute nicht hin, sondern lauschte, gegen meinen Willen wahrscheinlich. Hielt ich die Augen geschlossen? Oder hatte ich sie halb offen? Sah ich die Bettwäsche, die Decke, wie sich die Stoffe bewegten in einem Rauschen? Hörte ich die Hitze jener Körper, die sich – gegen meinen Willen?–, mit meinem verbanden, ohne mich zu beachten? Wurde ich mitbehandelt?

Die Gewitterwolke platzte nie, durfte es nicht. Als Kinder fielen wir in diese Wolke und lernten, in ihr zu schwimmen, in der Angst, dass mit uns das Falsche passierte, jeden Moment passieren konnte, dass etwas Schlimmes eintreffen würde, über das man auf keinen Fall sprechen durfte, nicht mal mit sich selbst.

Ich sprach mit meinem Schreibheft über andere Dinge, erfand Geschichten. Meine Schwester schien unberührt von dem, was war, träumte sich fort in unerreichbare Welten.

Ich erinnere mich nicht. Was war?

Griffe und Wärme und das Fehlen von Sprache und das Übermaß an Worten und Begriffen über Sex, die die Wolke nährten, andickten, dunkler machten. Vögeln, sagte meine Mutter, sie liebte es, dieses Wort auszusprechen, so dass es mir widerlich wurde, obwohl ich Vögel gernhabe, besonders Enten. Sie können schwimmen und nehmen die Dinge nicht so wichtig. Wenn sie sterben, sterben sie, und vorher schwimmen sie. Enten vögeln nicht. Enten haben keine Geschichte, die sie mit sich herumschleppen. Enten haben Küken, die hinter ihnen her wackeln.

In der Schule sagten sie bumsen, manche auch ficken. Mit der Freundin spielte ich Ficken und nahm Hörspiele auf. Wir stellten uns vor, wie wir sie beobachteten, rieben uns dabei aneinander und verhehlten einander unsere Geilheit dabei. Noch während ich dies schreibe, juckt mich jene geheime Lust der Beobachterin. Mit jedem Sexspiel verhinderten wir, die Wolke zur Sprache zu bringen: Wir verleibten sie uns ein, schluckten mit wimmerndem Kichern. Und schwiegen laut.

Stickig war es. Wenn er kam, drohte die Wolke zu platzen, es regnete Schläge und Blut. Sofort ballte sie sich in meinem Magen zusammen, als wäre dies ihr angestammter Platz, eine dicke Kugel, ungreifbar, ein Gewicht, das mir die Mundwinkel nach unten zog, mich ablenkte von dem, was hätte sein können. Ich? Was war?

Ich lernte, meinen Augen und Ohren nicht zu trauen, denn wenn ich das getan hätte, hätte die Wolke mich in sich begraben, mich aufgesogen, wie den Wein, den die Mutter schluckte, jeden Abend. Auch dieses Schlucken durfte ich nicht sehen, durfte nicht sein. Ich musste glauben, was sie mir nicht mal sagten: „Sag nichts!"

Was immer sonst geschah, an „Gutem", „Wichtigem", an „Unterstützung", all das Lachen, all die Sätze und Gesten, die zu lieben vorgaben – als Kinder wussten wir, dass nur die Gewitterwolke wahr war. Nur sie hatte Bestand. Sie degradierte alles andere zu Lügen. Schleppte eine Scham in mein Herz, für die ich keine Worte hatte, denn ich hätte nicht stillhalten dürfen wie ein furchtsamer Gott, eingefroren in meiner Angst. Die Scham sitzt so tief, dass ich mich selbst mit ausreißen müsste, um sie loszuwerden. Also behalte ich sie: die Scham, da gewesen zu sein, in der Wolke. Die Scham, verfehlt worden zu sein.

In der Gewitterwolke war kein Platz für ein Kind wie mich, doch musste ich mich an sie halten, mich an ihr festhalten, vergeblich, mich in ihr aufhalten und aushalten, nur dort war Zuhause, nur dort war die Mutter, die uns mit ihrer Lust fütterte. Den Mann, der sie schlug, nahmen wir in Kauf, natürlich, wie ihre Hand, die sie in ihrem Schoß rieb, Sex-Worte sagend, die ich nicht hören wollte, was sie spießig fand, wie ihre Hand, die sie mir an die Ohren legte, dass es in ihnen gellte. Der Geruch ihrer Hand war mir abstoßende Heimat.

Draußen standen an jeder Straßenecke Exhibitionisten, die ihre Penisse schwenkten und dabei auf eigentümliche Art unglücklich aussahen. Sie stellten ihr Unglück aus, oder ihre Wut, drängten sich in die Wolke wie die halben Geschichten und ganzen Streitereien über Sex, über Vergewaltigung.

Einmal wäre es fast passiert. Ein Freund des Schlägers versuchte, meine Mutter zu vergewaltigen. Ich stand dabei. Ich sagte nichts. Sie konnte ihn allein abwehren. Ich war starr, blieb unfähig. Nie sprach sie übers Schlagen, übers Geschlagenwerden, hielt diesen Teil unter Verschluss, bis heute stopft sie ihn in die Gewitterwolke und gebietet ein unvollständiges Vergessen dessen, was war.

Was war?

Sitzen in der Badewanne, Schaum, die Eltern noch nicht getrennt, ich fünf oder sechs, die Schwester zwei Jahre jünger. Sie warnten uns vor den bösen Männern draußen, während wir nackt in der Wanne saßen. Das Fotobuch im Kinderzimmer war voll mit nackten Menschen, die sich berührten. Die Fotos machten mich heiß, beunruhigten mich aber auch, denn wo sollte das hinführen? Die Hitze führte direkt zu dem Mann, der schlug. Sie warnten uns vor dem, was wir täglich vor Augen hatten. Nie mitgehen, hieß die Losung, egal, was die bösen Männer versprächen. Nie wäre ich mitgegangen. Meine Schwester hat nicht gehört. Sie folgte einem bis in den fünften Stock, weil er ihr eine Katze versprach. Oben griff er nach ihr, doch sie entwischte. Hat es niemandem gesagt. Erst viel später hat sie mir davon berichtet.

Die Wolke begleitet uns wie die Gotteswolke das Volk Mose. Weist uns den Weg in die

Vergangenheit, nachts und am Tag, nie spricht sie ein Wort, offenbart nichts, als müsse ich selbst die richtigen Schlüsse aus ihr ziehen.

Was war?

Vergebliche Liebesmüh zog ich aus ihr, denn die Liebe gelingt mir nicht, ich hängte mich an Fremde und verbot mir Vertrauen, denn was mir fehlt, ersehne ich vergebens, es ist zu spät. Ich wanderte durch die Zukunft, nahm Unsagbares vorweg und kam nie in der Gegenwart an, sondern blieb in der Gewitterwolke, in ihrem Dräuen, zog los, blieb, zog los, blieb. Gebe mich dem, was ich kriegen kann und lerne, die Trauer auszuhalten.

Manchmal weine ich um mein Leben, das ich retten muss bis zum Schluss und sehe das Glück in den Augen von Enten, in Blättern am Baum, in Sternen, in Büchern. Ich rieche es im Regen. Es liegt offen vor mir, unter meinen Füßen verteilt, ich gehe sicher darauf und danke, auch für die vergebliche Liebesmüh. Nur nicht für die Sehnsucht, eine andere zu sein, denn diese Sehnsucht lügt.

Was war?

Was wäre gewesen? Ich?

Ein Nebel. Ein Dolch. Ein Kind ohne Eltern. Ein geborgenes Wesen. Ein Geist.

Als Kinder waren wir von Exhibitionisten umzingelt, meine Mutter gehörte zu ihnen, wenn sie sich rieb, wenn sie ihre Hörigkeit zum Abenteuer umlog und die Liebe in Schlägen empfing, wenn sie sich verwunden ließ, in aller Öffentlichkeit, ohne dass auch nur ein Mensch das Offensichtliche aussprach. Die Exhibitionisten bargen sich in der Wolke, liehen ihre Macht, taten so, als ginge es um etwas anderes, als ginge es um uns, gaben sich keine Mühe, Worte zu finden für das, was nach Worten schrie: Unser Ausgesetztsein als Kinder.

VIII

Krank gehe ich spazieren. Ich bin schlapp, aber ich will mich bewegen, um nicht dicker zu werden. Dicker werden bedeutet Disziplin- und Kontrolllosigkeit. Dicker werden ist gefährlich wie jede Krankheit. Auch der Körper – gerade er! – unterwirft sich dem kaputten Heldentum. Unterliegt. Manchmal gewinnt er auch, aber jetzt gehe ich spazieren. Jetzt stehen die WECHSEL-JAHRE an. Der Körper wechselt sich aus. Er wird rund in der Mitte. Mein Geist folgt ihm noch nicht. Mein Geist will, dass er schlank ist, „jung" aussieht, aber mein Körper ist stärker. Mein Körper weiß, was ich bin: 49 Jahre alt, einige Kilos schwerer als zu der Zeit, als ich mir JEDE Nahrung missgönnte, misstrauisch, immer noch, aber lernfähig.

Die Spatzen und Enten picken am Teich, wieder habe ich Brotkrumen vergessen, schon letztes Mal hatte ich sie ihnen versprochen. Halme, die blassen, geben trotzdem eine verwurzelte

Leichtigkeit, eine Geborgenheit, als dürfte ich ein Teil sein vom Stehen und Wiegen und Säen, vom Werden und Verkommen, über mir der tiefe feuchte Himmel. Es ist, als tränke ich denselben Regen: Man lässt mich.

Ich liebe dieses Brandenburger Land, das sogar in Berlin zu finden ist, am Schloss Charlottenburg. Die Halme, die Trockenheit, die Ehrlichkeit, das Licht. Ich spiele mit dem Gedanken, mich da draußen niederzulassen, in Brandenburg-Preußen, mich nicht mehr hetzen zu lassen vom Außen, weil mein Innen ausreichend [nicht zur Genüge!] treibt. Aber wo? Und mit wem? Und wie?

Im Grunde bin ich wie jeder Mensch: Ich tue, was mir gesagt wird und noch einiges darüber hinaus, was ich mir selber sage. Ich tue eher mehr als weniger, und je mehr ich tue, desto heftiger quält mich die Gewissheit, es sei nie genug. Natürlich ist es nicht genug!

Genug ist der Halm am Ufer, genug ist die Ente am Hang. Genug ist, was nichts tun muss, um zu sein. Ich muss tun und darf doch nicht sein. Ich darf mich nicht ausruhen. Es ist absurd, aber logisch wie der Rest der Welt. Obszön ist es auch. Unanständig mir selbst und dem Leben gegenüber. Maßlos.

Ich habe vier Kinder, ich gab und gebe mir unendlich viel Mühe mit ihnen. Am meisten bemühe ich mich, der Möglichkeit auszuweichen, es sei genug. Ist das ein Geburts- oder ein biografischer Defekt oder allgemeines menschliches Versagen „unserer Zeit“? Nie genug zu tun, nie genug zu sein, nie genug zu haben, immer weiter zu schaben, zu kratzen, zu ackern, zu eilen.

Als Mutter wird man ständig unterbrochen. Jetzt sind die Kinder größer und ich unterbreche mich selbst bei allem, was ich tue. Springe auf, weil mir etwas in den Kopf kommt. Das notiere, hole, recherchiere, organisiere oder erledige ich *mal eben.* In der Zeit des Mal-eben können kostbare Gedanken nicht reifen, kann kostbare Ruhe nicht andocken. So habe ich das gelernt, von beiden Eltern und aller Umgebung: Alles muss schnell gehen. Damit man zum Wesentlichen kommt. Das Wesentliche: Noch schneller Dinge erledigen, noch schneller wachsen, noch schneller Erfolg haben, schneller als die anderen sein, schneller, schneller, schneller, als sei einem der Teufel selbst auf den Fersen. Der Teufel: Geborgenheit, Ruhe, Seindürfen. Das ist der Teufel. Diesen Teufel fürchtet mein Vater, fürchte ich, mehr noch als seine und meine Erfolglosigkeit. Erfolglosigkeit kann sich in jeder Sekunde einstellen, unabhängig davon, was man schon alles *geschafft* hat.

Ist es ein „Zeitphänomen“? Soziale-Rotzwerke-verstärkt? Vernetzungsfieber? Klügere oder zumindest noch deprimiertere Autoren schreiben von *Müdigkeitsgesellschaft* und strukturell verhinderter *Resonanz.* „Wir“ machen uns selbst fertig, und dann kaufen wir Ratgeber von unseresgleichen, die uns erklären, wie wir mit uns Wracks umgehen sollen. Ich schreibe keinen Ratgeber, weil jeder Ratgeber zu kurz greift und in die Falle tappt: [*SELBSTOPTIMIERUNG. ANPASSUNG. FUNKTIONIEREN. SICH HERVORTUN. BESONDERS SEIN. EXCEL!*]

Erstmal müsste man eigentlich sehen, was ist, bevor man an Symptomen herumdoktert. Die Symptome kann man gar nicht genug beschreiben. Ich erlebe: Übelkeitsindividualismus. Versagensangst. Ich kann mich nicht erinnern, dass das je anders war, dass ich anderes erlebte [außer kurze Rauschzustände, wenn doch mal etwas gelang und ich in der Lage war, mich zu überzeugen, dass etwas gelang, weil ich die äußere Bestätigung dafür bekam: eine gute Note, ein Lob, Geld, ein Kind – ein Kind? Ist ein Kind eine äußere Bestätigung für Erfolg? Oder eine innere Notwendigkeit? Oder gar nichts von beidem? Ich hoffe, nichts von beidem, sondern alles, was zählt.

Die Befriedigung, zum Beispiel, durch eine gute Note, war in Wahrheit keine, sondern weiterer Antrieb, erneuter Beweis, dass es nicht reicht, denn es geht immer noch besser, immer geht es besser, und nie ist es gut]. Von innen ist es nie gut, und außen sieht es sowieso furchtbar aus. Krieg droht. Atombomben. Überschwemmungen. Außen ist es grauslich. Innen ist es kalt. Und umgekehrt. Da sollte wohl ein Zusammenhang bestehen. Warum spricht niemand darüber? Warum sprechen „Wir“ nur darüber, wie wir noch besser werden und uns ab und zu vom Besserwerden ausruhen können, um danach noch besser zu werden? Egal, wie alt wir sind. Egal, wie jung wir sind. Egal, wer wir überhaupt sind, Hauptsache mehr, besser, weiter, wachsen, optimiert. Das Optimum sollen wir herausholen aus dem Leben. Was für eine Zumutung. Und was für ein Unsinn, ist doch das Leben – jedes Leben! – als solches ein Optimum. Ein Geschenk. Ein nicht zu überbietendes Glück.

Ich habe Versagensangst als Mutter, Versagensangst in „Beziehungen“, die schon lang nicht mehr Liebe heißen, Versagensangst „im Job“, der nicht mehr Beruf heißt. In allem, was mir wichtig ist und wichtig zu sein hat. Ich habe gelernt – wie? – dass ich das Versagen noch mehr zu fürchten habe als den *Erfolg*. Ich mache mich lächerlich nass damit. So viele Handtücher gibt es gar nicht, ich schwitze sie alle durch vor Angst, dann wasche ich sie, und auch davon schwitze ich. Glücklicherweise mag ich Schweiß.

IX

Angst ist wie Herpes: Hat sie dich einmal erwischt, kommt sie immer wieder. Herpes habe ich nicht.

X

Dies zu schreiben, was voraussichtlich niemand außer mir lesen wird, kostet mich viel Überwindung, und doch ist es Notwehr. Ein Reflex: Ich wehre mich selbst ab. Ich setze mich hin und schreibe an diesem Suchen, jeden Tag ein Stück. Jeden Tag eine Schreibzeit auf der Suche danach, was „Erfolg" ist, warum ich *etwas erreichen* will und, mehr noch, etwas erreicht *haben* will, als wäre ich nur dann etwas wert. Warum ich das brauche. Oder was ich vielleicht verwechsle. Die Frage steht in meinem Kopf wie ein Grenzbalken: *Bis hierher und erst weiter, wenn du klarer bist.*

Zu lange schon bin ich im Unklardunkel umhergeirrt, fremdbestimmt, vielleicht, vielleicht aber auch nur gnadenlos selbstbestimmt, einem Etwas hinterherhetzend, von dem ich nicht mal weiß, was es ist.

Warum tue ich, Exemplar einer Spezies, mir das an? Warum verbiete ich mir, glücklich zu sein?

„Erfolg" scheint sich dadurch auszuzeichnen, dass ich ihn nie habe: etwas, das mich antreibt, immer mehr zu geben, zu sein, zu tun, zu leisten – und zwar mehr, als ich habe, kann und bin! Die Mohrrübe vor dem Maul des ausgelaugten Esels. Ich schnappe und schnappe und komme nicht ran. Ihr Duft füttert die Stimmen im Kopf, ihr Anblick lässt mir das Wasser im Mund zusammenlaufen, das ich unwillig wegwische, mit dem Handrücken, scheinbar nebenbei. Der Abstand zum goldorangefarbenen Glück bleibt immer gleich groß. Oder gleich klein. Glück? Ich habe „Glück" geschrieben. Vorhin schon, heimlich. Was hat Erfolg mit Glück zu tun? Ist es so, dass ich meine, erst oder nur glücklich sein zu können, wenn ich Erfolg *habe* bzw. erfolgreich *bin*?

Ich versuche, mich zu erinnern, wie das ist, glücklich zu sein, und wann ich es war. Es ist unberechenbar, aber es trifft nicht unbedingt dann ein, wenn ich etwas *geschafft* habe; dann spüre ich eher Befriedigung, Erleichterung, Erlaubnis zur Pause, die ich nicht nutze.

Glück empfinde ich, wenn ich auf einen See schaue, wenn ich bete, wenn mich eine Musik berührt oder ein Gedicht, wenn ich ein Kind beobachte, jemanden anlächle. In Momenten, in denen „Erfolg" ein überflüssiges Konzept scheint, weil er abhängt von meiner Bereitschaft, weiter zu sein, weiter zu wollen, in die Zukunft gerichtet, ins Für-Etwas. Glück heißt schnaufen und mich verbunden fühlen, *jetzt*, mit dem Baum, an dem ich lehne, mit den Menschen, die ich schön finde. Wenn ich glücklich bin, schweigt die Stimme, die mir einreden will, dass mir immer noch etwas zum Glück *fehlt*. Im Glück fehlt nichts, ist es egal, wie ich aussehe. Im Glück gebe ich mein Dasein und empfange es.

Eigentlich bin ich oft glücklich. Eigentlich bin ich immer glücklich. Ich trau mich nur nicht. Was passiert, wenn ich das Nichtglücklichsein loslasse? Wenn ich das Glücksgebot ignoriere? Wenn ich „einfach glücklich“ bin? Was wäre dann? Was würde aus mir? Was passierte?

XI

Die Stimmen schreien meine Fragen nieder: *Mach! Eile! Tue! Scheitere erfolgreicher! Gut! Sei besser! Halte nicht an! Räum auf! Es ist unordentlich! Es ist spät! Es ist früh! Es ist viel! Es ist wenig! Du hast keine Zeit! Du darfst nicht! Du musst! Fang an! Gib mehr! Tu dir weh! Tu anderen gut!*

Eine ruft überdeutlich, dass nur diejenige Arbeit etwas wert ist, die ich unter Schmerzen und gegen Widerstand ausführe. Und das auch nur dann, wenn es jemand sieht. Dass ich aber nicht darauf hinweisen dürfe, dass ich Schmerzen habe und kämpfe, sondern so tun muss, als fiele es mir leicht. Meine Mühe darf nicht sichtbar sein. Ich darf niemandem zur Last fallen. Meine Leistung darf nicht auf Kosten anderer gehen, und ich darf mich damit nicht brüsten und auch keine Hilfe erbitten. Auf keinen Fall Hilfe erbitten. Ich soll bescheiden sein und hart zu mir und freundlich dabei.

Das sagen die Stimmen.

Wer hat sie in meinen Kopf gepflanzt? Wer hilft mir, sie wieder herauszureißen mit Stumpf und Stiel, wenn ich doch niemanden um Hilfe bitten darf? Ich soll alles Wichtige allein hinkriegen, und weiß doch, im Grunde, dass die wichtigen Sachen nicht allein vollbracht werden sollten. Gar nicht allein vollbracht werden können! Erstmal ist da ja Gott. Die Idee von Gott widerspricht der ganzen Maschine, aber oft wird auch Er [oder Sie] vereinnahmt zur Leistungssteigerung. *KLOSTER-RETREAT* für gestresste Manager. Spirituelle Selbstfindung, bevor und damit man sich und andere noch besser ausbeuten kann. Das ist dann Gottesmissbrauch, nehme ich an. Gott weint. Er ist zu gutmütig, er kann sich nicht wehren. Er ist nicht der Typ, der Hilfe verweigert. Er hat das Hilflosigkeitsdiktat nicht aufgestellt. Er weint.

Ich weine auch.

XII

Ich finde eine Liste wieder, die ich mir vor Jahren, nur scheinbar ironisch auf die Arbeitsfahne schrieb. Ich weiß nicht, ob ich das lustig oder traurig fand, jedenfalls versuche ich, mich daran zu halten und gleichzeitig zu rebellieren [vielleicht sollte ich mich entscheiden? Oder auf keinen Fall?]. Ich perpetuiere die Unmöglichkeit, etwas zu erreichen, denn wenn ich *succeede*, kann ich ja nichts mehr erreichen, brauche flugs ein neues, ein weiteres Ziel, das ich noch nicht erreicht habe, eine neue *Challenge*, die ich nicht bestehen werde, zumindest nicht vollständig. Erfolg: ein unmögliches Unterfangen. Die zehn Gebote eines gelingenden Lebens: *Du sollst*

1. Listen machen
2. Ergebnisorientiert projektieren
3. Den Weg abstecken [Meilensteine!]
4. Auf keinen Fall dich, sondern Ziele setzen
5. Zeitmanagement betreiben
6. Work-Life-Balance maximieren
7. Lebensqualität kaufen
8. Kompetenz verkaufen
9. Qualitätszeit für die Familie einplanen
10. Profi deines Lebens werden.

Sogar der Pfarrer in der Kirche spricht von einem „gelingenden Leben". Erfolgreich leben als Beruf. Ist denn Leben ein Projekt? Ist Leben eine *Aufgabe*? Kann es misslingen?

Unter meine Liste habe ich mein lächerlich unbeherztes Rebellieren gedrückt: „Dabei würde ich so gern total antimanagementmäßig dagegen verstoßen, nicht Lebensprofi, sondern Amateurin sein dürfen, Liebhaberin, machtvolle Dilettantin der kurzen Zeit meines Lebens." Steht da. In Klammern und klein. Überlesbar.

XIII

[Selbstanweisung: Gleichzeitig filtern und fließen lassen, wenn es stockt, sofort umrühren, nicht mir selbst auf den Leim gehen und kleben bleiben, zappeln. Ziellose Beugung, Beine in die Luft, Dehnen.]

„Lebensqualität“ ist eines der Wörter, die ich unschreiblich finde, doch es ist zu notieren. Alles misst man auf. Ich messe auch. Lebensqualität wie Frischobst am Marktstand: Ist es gut? Bissfest? Stimmt der Preis? Kann es sich sehen lassen? Und vor allem: Hält es, oder fault es schon beim Transport?

„Kompetenz“ ist noch so ein Wort, das das Leben professionalisieren hilft. Wer einst freundlich und hilfsbereit war, hat jetzt „soziale Kompetenz“. Wer gerne malte oder schrieb, ist nun „kreativ kompetent“. Es bläht sich mir in der Seele, nötigt mich ins Korsett.

Die Zeit friert in Listen bar jeder *Qualität*, und ich schreibe mit dieser Zeitmaschine tapfer dagegen an, mein eigenes Heldentum exemplarisch zu entlarven, als das, was es offensichtlich ist: kaputt.

Jede Beschleunigung kostet Lust und Luft, immer auf der Jagd nach tönernen Geschäften. Kein *Zukunftsprojekt* kann Löcher mit Sinn füllen. Geschrieben wird *jetzt*.

Ich schreibe 5+7+5 Haikus gegen die Durchprofessionalisierung des Lebens.

I

LE-BENS-QUAL-I-TÄT
Unsägliches Wort für mich:
Alles misst man auf.

Kompetenzbeweis?
Pro-fess-io-na-li-sie-rung
Jeder Minute

Zeit friert in Listen
Ich schreib wieder mit der Hand
Tapfer dagegen

Erfolg sei der Wert
Das MANN-AGE-MENT verpisst sich
Man fliegt dennoch auf

Fünf, sieben und fünf
Vorgezeichnet mit Bleistift
Füllerkrumm aufs Blatt

II

Die parallelen
Gesellschaften reiben sich
In meiner Seele

Ihr Klaffen reicht weit
(Beschleunigung kostet Lust)
Der Seeadler ruft

Finde und suche
Ruhe im Lauf der Elbe
Fluvia alba

Wider das Rasen
Stemmt sich voll Vergeblichkeit
Der schnelle Biber

Immer auf der Jagd
Nach hölzernen Geschäften
Mein Notizbuch lauscht

Dem Wind in Speichern
Den still fröstelnden Tropfen
Sehnsucht nagt am Tau

Die Sieben ist voll
Liebe gleitet vorüber
sagt man leicht_fertig

III
Leben auf Zetteln
gänzlich unprofessionell
in den Strom geschnippt

Kein ZUKUNFTSPROJEKT
kann Löcher mit Zweck füllen
Gedichtet wird j e t z t!

(Lasse ich das zu?
Wie schafft man den Widerstand
gegen den ZEITGEIST?

Mit kaltem Grausen…)
Buchstaben spenden Wärme:
Der Winter ist mild

Die inkubierten
Haikus, auf dem Land verfasst
falte ich ins Netz.

Und „Erfolg"? Ist im Grunde die unzulässige [weil unmögliche] Verquickung von Innerem mit Äußerem – eine zweifelhafte Angelegenheit, in jedem Fall dennoch ein Trost, der sich im Erfolgsfall dadurch auszeichnet, dass die schaffende Person nicht genug davon bekommen kann oder dies zumindest meint. Bleibt er aus, der *Erfolg*, scheint sie umsonst gelebt und im Schreibfall umsonst geschrieben zu haben.

XIV

Der Vater parkt in der zweiten Reihe, für ihn ist immer Krise, und nie darf sie schlimm sein. Er hetzt.

Er hat mir [wie auf andere Weise die Mutter] vorbildlich beigebracht, viel Zeit damit zuzubringen, mich und andere zu bewerten und mir zu schaden. Selbstschaden ist eine wesentliche „Kompetenz", wenn man Erfolg haben will. Die Enkeltochter fragt er, wie's im Studium geht, doch will er's gar nicht wissen, will nur sichergehen, dass sie auf dem Weg ist, die Anforderungen erfüllt, die er für erforderlich hält für ein gelingendes Leben. Oder zumindest für die Minimierung von Scham, dieser unangenehmen, grundlegenden, durchaus zu verhehlenden und möglichst zu vermeidenden Empfindung, die jedem Erfolg im Weg steht oder ihn, wenn er doch eintritt, zunichtemacht. Die Söhne fragt er nicht, ob sie gemobbt werden, ob sie ein Bild gemalt haben, sich zuhause fühlen, eine Phantasie haben, sondern gibt ihnen Zeugnisgeld.

Meine Tochter beschwert sich bei mir: „Er denkt, ich will Karriere machen, aber vielleicht will ich das gar nicht!"

Ich wünschte, sie hätte die Wahl und bleibe ambivalent: *Kann sie denn glücklich sein, wenn sie ‚einfach so' lebt?* Ich bin ein Dummkopf, eine unverbesserliche Leistungssüchtige, noch während ich täglich an dem Prinzip zerbreche, das meine Eltern und Umgebung und ich selbst mir auferlegten, und -legen, das täglich Freude kostet und verhindert. *Erst die Arbeit, dann das Vergnügen. Erst der Erfolg, dann die Anerkennung.* Nur wer [die] Leistung bringt, darf sich über die Leistungsgesellschaft beschweren, ihr vielleicht sogar etwas entgegenleisten. Kunst oder Mutterliebe, zum Beispiel, allerdings nur, wenn das andere stimmt. Das Wichtigere. Das Soll. Erfüllt wird. Erfolg sich einstellt. Leistung sichtbar wird. *Darstellbar.* Anerkannt in meinem Du-Ich. Ohne Du-Ich findet mein Ich keinen Halt. Wahrgenommen werde ich nur durch Leistung. In der Bar ist es die Leistung, „weiblich" auszusehen, rote Lippen zu haben, zu lächeln und über eine „Ausstrahlung" zu verfügen. „Attraktiv" zu sein. Einer Norm zu entsprechen und doch „besonders" zu wirken. In der Arbeitswelt erbringe ich andere Leistung, die die Norm und das Soll erfüllt. Das Eigentümliche an diesem Soll ist, dass es nie völlig erfüllt sein kann, so wie ein Erfolg niemals gänzlich befriedigen darf. Als käme dann das Ist auf dumme Gedanken.

In der Schule wurde ich als gute Schülerin wahrgenommen. Da war es leicht, mir vorzumachen und vormachen zu lassen, ich hätte Anerkennung *verdient.* Ich durfte den Lehrern [aus meiner Sicht!] nur deshalb meine Meinung sagen, weil ich gute Noten hatte. Die Noten legitimierten mich. Ich glaubte, der Zersetzung nur widerstehen und ein inneres Richtig verteidigen zu können, wenn ich dem äußeren Richtig entspräche. Man nennt das, glaube ich, Kompromiss. Er ist faul, denn das Gegenteil ist der Fall: Das Gut-genug-sein-Wollen-um-richtig-sein-zu-dürfen ist schon die Zersetzung.

Wie sehr sich jemand anpassen muss, ohne verrückt zu werden, wie sehr jemand ausbrechen kann, ohne verrückt zu werden – ist individuell verschieden. Mein eigenes Wie-Sehr suche ich, justiere es stündlich neu, balancierend.

XV

Im Rahmen der Erwerbsarbeit spreche ich mit einem Grafikdesigner. Das Gespräch streift private Themen und Vorstellungen. Er teilt sich mit seiner Frau Haushalt und Kinder, ist deshalb weniger karrierestark unterwegs, als es, wie er sagt, seiner Kompetenz entspräche. Er habe sich dafür entschieden, auch Vater und daheim zu sein. Aber nun zweifle er stets, ob es reicht. Ob er mithalten kann. Den Anschluss nicht verpasst. Ich rege an, was ich selbst nicht konsequent tue: die Bedingungen für Erfolg zu bezweifeln anstatt der eigenen „Kompetenz" und „Wertigkeit". Erfolg neu zu definieren, vielleicht. Er sei ja kreativ. Da winkt er hastig ab – lieber nicht! Es sei gefährlich, sich nach außen zu stellen, von außen zu schauen. Zu grundsätzlich wären die zu stellenden Fragen und zu bedrohlich die Antworten.

Bedrohlich für wen?

Gibt es nur Entweder-Oder? bleibt als Frage im Raum, ehe wir uns wieder der eigentlichen Arbeit zuwenden, für die wir bezahlt werden und bezahlen: dem Produkt.

XVI

Die Stimmen rufen *Du sollst, Du musst, Du darfst nicht, bevor* – Ausruhen darf ich nicht. Sie verbieten es mir, jede Ruhe ist vorübergehend, hat einen Zweck, wird von unterschwelligem Antrieb begleitet, eingetaktet in all das, was zu tun ist und wäre [kaum je in das, was ich tat und schuf]. Da hilft kein Ratgeberbuch.

[Ich schreibe kein Ratbuch, sondern ein Tatbuch, ein Machbuch. Ein Ohnmachtbuch. Ein Ausmachbuch. Stelle dysfunktionale Fragen:]

Bin ich nur „ausgelastet", wenn ich „überlastet" bin? Bin ich ein Esel? Bockig sein – wie geht das? Ausfallen. Angeln im Nebel, verwachsen am Ufer. Rufen. Rufen!

Und lauschen.

Vielleicht suche ich Erfolg, weil ich mir einbilde, darin wäre ich geborgen. Wie komme ich darauf? Jede Erfahrung spricht dagegen. Ich möchte auf meinen Magen hören und auf meinen Darm. Sie schmerzen und gluckern. Ich verstehe ihre Sprache nicht. Oh doch, ich verstehe ihre Sprache, aber ich fürchte die Konsequenzen des Hörens.

Wie oft am Tag sage ich mir, unisono mit den Stimmen: *Wenn mir das gelingt… Wenn ich das schaffe…* – Was dann? Bin ich dann glücklich? Zufrieden? Gerechtfertigt?

Ich verknüpfe das Gelingen mit einem Selbstwertgefühl. Wer hat diese Verknüpfung, die mich nicht ruhen und sein lässt, in meine Synapsen gestopft?

XVII

Mein Leben ist ein Fragment wie jeder Text, den ich schreibe: in sich sinnvoll, außer sich nutzlos notwendig.

Das deutlichste Gefühl, das hartnäckigste, dauerhafteste, am Grunde stets lauernde, das alles durchzieht [neben der Dankbarkeit], ist Angst. Angst und Dankbarkeit – zwischen diesen beiden atme ich.

XVIII

Ich bin noch lange nicht beim Eingemachten. Ich mache weiter ein. Sammle Früchte, unreife, überreife, faule. Vermeide es, mein Wochenpensum aufzuschreiben. Mein Tagespensum zu offenbaren. Ich bin noch nicht dazu gekommen: *Es ist zu viel. Es ist nicht genug.*

XIX

In einer kleinbürgerlichen Stadt: Ein Haus wird eingeweiht, eines mit gutem Zweck. Die Persönlichkeiten des Ortes sind geladen, und einige besonders persönliche Persönlichkeiten sind gebeten worden, ein Grußwort zu sprechen. Um ein Grußwort muss man gebeten werden, es ähnelt einem Preis, den man erhält. Man wird geehrt, und deshalb sind Grußworte zumindest von denen, die sie sprechen, heiß begehrt [alle anderen langweilen sich in der Regel]. Die Grußwortsprecher – ausschließlich Männer – dürfen sich für einen grußwörtlichen Moment ihrer Bedeutung in der kleinbürgerlichen Stadt sicher sein.

Ich spüre Neid. Oder ist es mangelnde Zugehörigkeit? Ich wäre gern anerkannt und bedeutsam.

XX

Seit meiner Geburt als Frau hungere ich. Wonach? Ich habe versucht, mich durch Kinderkriegen und -haben zu sättigen, den Hunger mit Sport, Diät, Lernen, Denken, Wollen, Arbeiten zu bekämpfen, ihn [und mich] durch Verbieten in den Griff zu bekommen, durch Ächten, durch Depression zu betäuben.

Der Hunger bleibt. Ich kontrolliere, was ich esse.

Seit meiner Geburt als Frau bin ich zu dick und zu viel.

Seit meiner Geburt als Frau hungere ich, bekämpfe den Hunger, traue ihm nicht, denn ich weiß: Er ist nicht zu stillen. Ich bin nicht zu stillen. Körperwahrheit, Seelenmüll, Gehirnwäsche.

Reiße mich weiter zusammen, dass es knirscht und zieht in den Knien, in den Schreibgelenken, in den Laufgräten, in den Fischfedern[1], als wäre auch eine Frau wie ich ein kleiner Fisch mit meinem Walgesang, den niemand, nicht mal ich selbst, entziffere.

Vergleichskampf von Körpern, Zerstükkelung im Bemühen um eine unerreichbare Perfektion, das erst mit dem Tod endet. Zum Beispiel das ganz normale Dünnseinmüssen mit seiner ganz normalen Verschwendung von Zeit, Kraft und Raum. Oder die Frage nach einer eigenen Weiblichkeit, die unbeantwortbar im Raum steht, der es die Sprache verschlagen hat, den Verlust auszudrücken. So hält sie sich [sicherheitshalber?] an Zuschreibungen, die sie zum Fehler machen, die sie fehlen lassen, und das habe ich als Manko so sehr verinnerlicht, dass es die Seele höhlt und mich mit Neben-Krankheiten wie „Depression“, „Ess-Störung“, „Anpassungs-Störung“ ablenkt. Wovon?

---

[1] Ich assoziiere hier das Buch "Fisch ist Fisch" von Leo Lionni, das mich als Kind beeindruckt hat.

Die Schwester fragt in einer Mail, was ich erreichen wolle mit Dünnsein: „Du bist doch so analytisch, ich glaube, du musst da mal analytisch ran. Es geht doch um schön und deswegen *glücklich* sein, oder? So funktioniert's aber nicht, das weißt du, weil du es jahrelang getestet hast.“ Ich antworte: „Na-Ja. Und nein. Schönheit ist nicht der Punkt. Die liegt außerhalb meiner Selbstwahrnehmung. Mein Ziel ist hässlicher: Ich will, dass meine Hässlichkeit weniger auffällt. Mein Nicht-Passen nimmt zu viel Raum ein, verstehst du? Deshalb zwinge ich meinen Körper, sich klein zu machen. Oder weißt du etwa, wie man das macht: sich selbst lieben?“ Die Schwester gibt zu: „Komplexe haben wir alle als Frauen. So ist unsere Gesellschaft gebaut. Meine sind nur mit anderen Sachen überwachsen. So wie die Ungeliebten im Garten. Man kann sie nicht ganz loswerden, aber man kann schöne Blumen drauf pflanzen und ein paar Ranken und ein Bäumchen und dann stören die fast nie.“ Das Postskriptum reicht ihr Motto nach: „Innen sind wir alle Fleisch und Blut und Knorpel und Kacke.“

XXI

Mein Brauchen erscheint mir unanständig. Ist mir peinlich. Ich bin mir peinlich. Schäme mich dafür, dass ich ein brauchendes Wesen bin.

Das Gefängnis: Die felsenfeste Überzeugung, nicht brauchen zu dürfen, mich für jedes

Brauchen schämen zu müssen, mich also *grundsätzlich* zu schämen, weil ich lebe.

[Weil ich lebe? Grundsätzlich?]

Wenn ich den Hunger stillen könnte – wenn ich mir überhaupt erstmal gestattete, hungrig zu sein, bräuchte ich vielleicht das Brauchen nicht mehr, das Brauchen von Konkurrenz, von Besserseinwollen.

Dann wäre ich eine gebräuchliche Frau. Die so tut, als hätte sie es nicht nötig, ein geliebter Mensch zu sein [nicht, weil ich etwas Besseres, Stärkeres, Reiferes wäre – etwas Besseres als einen geliebten Menschen gibt es nicht – sondern weil ich eine in Scham Verlorene bin. Die Scham muss sehr alt sein.]

Ich habe gelernt, dass ich es nicht nötig haben darf, jemanden nötig zu haben. Die Mutterärztin hat mich geimpft: „Unbedingte Liebe darf nicht sein, macht abhängig und schwach." Sie predigt das bis heute. Ich lernte: Liebe bedeutet Gewalt, Verlust, Scham und Pein. Die Botschaft steckt wie ein vergifteter Pfeil in meinem Herzen. Es sind zwei Pfeile. Der Vater lehrt mich, ich weiß nicht wie, mich für mich zu schämen. Der Mutterpfeil und der Vaterpfeil. In jeder Herzkammer steckt einer, für Amor ist kein Platz mehr, man hat mich gewappnet. Amor zielt nicht auf die bewehrten, versehrten, auf die vergifteten Herzen. Achtlos in mich geschossen, achtlos stecken gelassen, denn sie sahen, sie sehen mich nicht, sondern haben sich achtlos das Bild von mir gemacht, das sie [jeweils] brauchten. [Was alle Eltern tun?] Das Bild des Vaters und das Bild der Mutter. Das Bild des Kindes, das ich sein sollte, ihnen zu spiegeln, was sie wollten, das ich sei.

Ich sollte, ich *musste* in ihr Leben passen und habe das vielleicht [ich weiß nicht] geschickt angestellt, nicht zu sterben, nicht zu „rebellieren", nicht offensichtlich zu versagen. Ich habe funktioniert und funktioniere wunderbar, verberge die Kollateralschäden, hülle sie in Buchstaben. Verantwortungsvoll, empfindsam. Finde immer neue Verstecke für meine Worte, für meine Häutungen, für meine Ent-Bilder.

Die Bilder, die sie sich machten, wechselten, manchmal rasch, so dass ich nicht immer hinterherkam. Oder sie überlagerten sich, widersprachen einander, forderten zeitgleich die verschiedensten Dinge von mir, so dass ich weiter nicht genügte und neue Nahrung für meine Scham erhielt. Ich sah zu viel. Deutete ihre Bilder. Ich war wie jedes Kind: darauf angewiesen, meine Eltern auf mich zu beziehen. Ihre Pfeile in Empfang zu nehmen an ihrer statt. Ich verhinderte, gesehen zu werden, musste die Liebe verschieben in eine Bedingung, in eine spätere Zeit, die nie eintrifft, denn Liebe ist zu gefährlich für ein Kind, das nicht sein darf.

Wo habe ich die Liebe hingeschoben?

Ich spüre den Schmerz viel später, und nicht voll, aber er ist immer da. Tut gemein weh. Hält mich am Leben. Bereitet mir das Glück, entkommen zu sein und die Trauer um das, was nicht wird, denn sie haben mich gar nicht gemeint. Sie haben mich nicht gemeint, und ich dachte, dass sie mich meinten. Mich bräuchten, wie ich sie gebraucht hätte. Ich lernte, das Brauchen durch Gebrauchtwerden zu ersetzen, das Wahrgenommenwerden durchs Wahrnehmen und entwickelte eine Überempfindlichkeit und andere „Macken". Oder bin ich so geboren und hatte „Pech"? Sie sagten mir, ich solle nicht so empfindlich sein, während mir schien, ich musste, konnte nicht anders, auch um zu spüren, woher Gefahr droht. [Im Grunde: von überall.]

Die Kränkung in Kraft umzuwandeln ist eine lebenslange Aufgabe. Ich weiß nicht, ob ich sie erfülle. Ich weiß nur: Jede andere Leistung ist ein Ersatz.

Wenn ich nicht arbeite, an „freien Tagen", habe ich große Angst. Nutzlos zu sein. Ich putze, schreibe, schone meine Kinder, stehe nicht still, wenn möglich, bloß nicht still, um Himmelswillen eine Füllung in das Zeitloch stopfen.

XXII

Das singende, springende Löweneckerchen, da warte ich drauf, doch es bringt mir keiner, und ich finde es nicht. Wer hat's mir versprochen?

Wer hat das Versprechen gebrochen? Wann? Ist es zur Mohrrübe geworden und ich zur Eselin, das Leben eine einzige große Anstrengung, glücklich zu sein. Von Anfang an? Ich erinnere mich nicht.

XXIII

Zuwendung ist verbunden mit einer Leistung, die harte Anstrengung erfordert. Das Muster: Ich strample mir einen ab in der Hoffnung, endlich anerkannt, wahrgenommen, geliebt zu werden, mache mir die Arbeit, die Aufgabe, das Leben besonders schwer, weil die Leistung sonst nicht groß genug wäre – und dann kommt aber nichts.

Oder ich verzichte darauf. Zeige meine Leistung nicht, verberge, verkrieche mich, kündige, gehe fort, kappe Beziehungen, breche ab. Und beneide jene, die mehr verdienen und leichter leben, sich nicht so sehr anstrengen, nicht so viele Skrupel haben, und trotzdem berühmt sind oder gar geliebt werden, weil sie nicht so hohe Ansprüche an sich stellen [lassen].

Warum schäme ich mich für einen Hunger, für den ich vielleicht gar nichts kann? Kann man etwas für den eigenen Hunger? Ich schäme mich dafür, nicht geliebt [worden] zu sein, denn dieses Fehlen ist der Beweis meiner Minderwertigkeit. Nichtliebe belegt mein Versagen. [Bestimmt stimmt das nicht. Bestimmt war das Liebe, doch kann ich ihr nicht im Innersten glauben. Weil ich die Leistung nicht erfüllt habe, bzw. die Leistung erst immer neu erfüllen muss, um zu glauben, dass es eine sei. *Welche Leistung habe ich nicht erfüllt, Mama? Was habe ich falsch gemacht?*]

XXIV

Klamotten kaufen. Der Mutter war es verhasst und uns Kindern auch, C&A, nie passte ich zu den Klamotten, auch nicht in die Läden. Stets war die Mutter angestrengt, trieb an zu schnellen Kaufentscheidungen, entschied im Zweifel für uns, redete uns ein, es sehe gut aus.

Das tat es nie. Ich sah nie gut aus, und meine Mutter schaute gar nicht hin. Sie tat nur so, wie mit ihren Patienten. Ich wollte glauben, dass sie mich sah, aber im Grunde wusste ich [und durfte meinem Wissen nicht trauen], dass es nicht so war. Ich versuchte, in die Klamotten zu passen, die sie aussuchte. Die mir nicht standen. Nichts stand mir. Das fühle ich bis heute. Im Grunde stimmt nichts. Kein Kleidungsstück, keine Geste. Es ist immer zu viel oder zu wenig, was ich sage, trage, zeige, Kleidungsstücke gefallen mir, aber nicht an mir. Als würde ich sie mit meiner Sehnsucht, hineinzupassen, verderben, denn ich bin ja, seit ich zur Frau wurde, zu dick. Seit ich kein Kind mehr bin, verderbe ich jedes Kleidungsstück mit meinem Körper. Ich passe einfach nicht dazu. Diese Überzeugung trägt mich durch die Jahre, egal was ich trage. Meine Tränen zu heiß, mein Lachen zu laut.

XXV

Ich bin ohne Gott aufgewachsen. Meine Oma war katholisch und sang uns christliche Lieder, aber meine Mutter ist bald nach meiner Taufe aus der Kirche ausgetreten. Ich weiß nicht, wann ich zuerst eine Kirche von innen auf eine Weise gesehen habe, dass ich etwas anderes spürte, als pflichtschuldiges, kulturelles Interesse oder Langeweile und Kühle. Meine Mutter hasst die Kirche bis heute und will von mir eine Antwort auf: „Wozu braucht man Gott?"

Ich brauche Gott, um zu überleben. Ich brauche Gott, um zu ertragen, was war und was fehlt. Ich brauche Gott, um zu verlernen, was mir beigebracht wurde: dass die Liebe Teufelswerk sei und nie bedingungslos. Ich brauche Gott, um zu verlernen, dass Leistung alles ist und ich ohne sie nichts wert bin. Ich brauche Gott, um die Lüge der Leere zu widerlegen. Diese Antwort müsste ich ihr geben, aber es ist auch ohne Antwort schwer genug, ihr zu begegnen. Meine Mutter ist wie ein Staubsauger [ich hasse das Geräusch], zieht meine Energie, so dass ich tagelang schlapp bin nach 24 Stunden Besuch. Erschöpft, traurig und leer. Früher war das anders. Früher hat sie meine Nervosität verstärkt, und die Angst habe ich auf etwas anderes geschoben, auf das Prügeln ihres

Sexualpartners, auf die Krimis im Fernsehen, auf meine Schwäche. Heute sind Angst und Trauer direkt an meine Mutter gekoppelt. Es gibt meine Mutter in meinem Kopf nicht ohne Angst und Trauer. Jede Begegnung füttert die Mutterdepression. Ich kann mir noch so viel Mühe geben, distanziert bleiben, freundlich, *nicht ich*, sachlich, höflich, zugewandt – das schlechte Gewissen tritt sofort ein, wenn ich an sie denke. Ich genüge ihr nicht. Habe ihr nie genügt. Ich war gar nicht da. Sie hat mich nicht gesehen, hat mich mit ihrem professionellen Ärztin-Zuhören verschaukelt, denn sie „wusste" immer schon, was los war, bevor ich sprach oder es zeigte. Sie brauchte mich nur, nehme ich an, um sie selbst zu sein. Sie war aber nicht sie selbst [niemand ist „er selbst"], ich weiß nicht, wer sie war, wer sie ist, sie sagt nie, was wirklich los ist, verschanzt sich hinter Bedingungen, Etiketten, Erwartungen, Anekdoten. Verschanzt sich. Verbarrikadiert hinter der Wiederholung immergleicher Sprüche und Bewertungen. Jedem Menschen, der ihr unter die Augen kommt, heftet sie ihr Etikett, ihre Diagnose an, und sich selbst attestiert sie, „frei" zu sein, und „tabulos".

Sie war eine zehrende Mutter. Eine brauchende Mutter. Eine versagende Mutter. Sie hat mir ihr Brauchen weitergegeben. So lange habe ich ihren Lügen geglaubt und an mir selbst gezweifelt, denn ich hatte diejenige zu sein, die versagt. *Ich* war ungenügend. Ich bleibe ungenügend. Ich kann mich von ihrer Freiheit nicht befreien. Nicht allein. Ich brauche Gott, um mich von ihr zu befreien. Nie wird sie mir egal sein. Nie werde ich an ihre Liebe glauben können. Immer werde ich zweifeln und mit mir hadern. Ich brauche Gott, um ihren Verrat auszuhalten. Und meinen Verrat an ihr.

Helden

die fehler gibt es, die groben, die systematischen,
die zufälligen; die fernlenkung gibt es und die vögel

Inger Christensen

XXVI

„Was machen wir jetzt mit dem Tag?", fragt einer in der Charité, tätowierter Berliner mit rotem Gesicht. Der andere Patient nickt, sein Loch im Hals – Kehlkopfkrebs, mutmaße ich sinnlos –, gehalten von einem Verband; ein Schlauch schaut heraus, auch aus den Nasenlöchern. Er zieht sich ein Zigarillo hervor und steckt es genüsslich an, doch ich verstehe die Welt sowieso nicht mehr. Besuche im Krankenhaus machen mich hilflos.

Ich frage mich, ob diese Einstellung, mir selbst nur dann einen Wert zuzumessen, wenn ich wertvoll für andere bin, indem ich für sie sorge – ob das nicht auch eine Ausbeutung ist, ein Missbrauch oder ein guter Brauch? Zu brauchen, dass man gebraucht wird, als Lebensgrund, ohne den das Sein undenkbar wäre: Notwendigkeit, Nötigung oder Notlösung? Oder einfach menschlich?

Der Boden verschwindet hin und wieder, bewegt sich unter meinen Füßen. Seit ich pendle, verstärkt sich die optische Täuschung, die die

Wirklichkeit zum Widerspruch reizt, oder ein Missgeschick darstellt, oder ein Zeichen. Man sieht mir nichts an, außer, vielleicht, wenn einer genau hinschaut [und das tut keiner, im Krankenhaus, im Pendlerzug, im öffentlichen Nahverkehr, in den Großstadtstraßen], eine zusätzliche Öffnung zur Verletzlichkeit [es passiert so viel, Gott], die es schwer macht, den Anblick von, zum Beispiel, Kehlkopfkrebsverbänden mit der gebotenen Distanz von mir zu weisen.

Zum Aufatmen sitze ich in der Nähe der ‚Barmherzigkeit' in einem Café am Kanal. Am Nebentisch führen ein Mann und eine Frau ein Gespräch, das so klingt, als fehlten ihnen die üblichen Schranken, die Straßenschilder, vor allem das STOP. Sie reichen einander die Worte wie Gaben, deren Bedeutung auf der Hand liegt, obwohl ihnen das Sprechen nicht so leicht aus dem Leib kommt. Er ist ziemlich dick, auch die Brillengläser vor seinen Augen sind dick.

„Ich mag dich schwer gern", sagt er ihr, „und ich weiß auch warum." Sie guckt. „Weil du du bist." Ohne Vorgeplänkel kommt das zur Sprache, nur ihre Blicke berühren einander, als sei diese Liebeserklärung fällig gewesen, mehr als ein Bekenntnis, eine Feststellung, die es nicht nötig hat, sich zu zieren, die wenig Aufhebens um die eigene Bedeutung macht.

„Und er ist er", äußert sie über den Kellner, der die beiden zuvorkommend bedient; das

Zucken ihres Kopfes verstärkt sich dabei ein wenig – ein absichtlich durchschaubarer Versuch, von ihrer Verlegenheit abzulenken? – oder ein lustvolles Hinauszögern ihres Einverständnisses?

„Er ist er, sie ist sie, ich bin ich", befindet die Frau, es klingt wie ein Song. „Du bist du. Bestellen wir noch einen Kuchen?" Allein dafür beneide ich sie: nicht nur einen Kuchen, sondern sogar noch einen Kuchen essen zu wollen, essen zu dürfen, sich zu erlauben. Seit ich 14 bin, esse ich fast nie Kuchen, Torte nie. Ich mache mich dadurch nicht beliebt. Behaupte, was stimmt: Ich vertrage so viel Butter und Sahne nicht. Mein Magen mag es nicht. Aber vor allem habe ich Angst, schon vom Anblick noch ein Kilo mehr zu wiegen. Die Frau bestellt noch einen Kuchen.

Ich vergleiche die Phantasie, die ich mir über ihre Welt mache, mit meiner eigenen: Ihre Welt ist immer da, meine Welt ist ein Stakkato. Eine angehaltene Uhr. Eine atemlos lange Pause, als wenn die *Play*-Taste klemmte.

Der Kellner bringt den Kuchen an den Nebentisch und noch ein helles Hefe, und auch für mich fällt sein Lächeln ab, als gehörte ich zu ihnen, doch es ist nur geliehen. Die Frau zieht mit Daumen und Zeigefinger umständlich an ihrer Zigarette, hält die Kippe wie ein Werkzeug, während sie über die Spatzen philosophiert, die im Sand baden. „Der Laden hier ist tierfreundlich", gibt er scherzend dazu, und ich notiere: In ihnen, in mir kulminiert die Welt.

Notiere, was ich höre, sehe, schmecke, als gehörte es zu mir, den Duft des nahen Wassers, das Fließen wie ein ständiges Gebet, ein Murmeln, denn auch mein Stakkato-Leben ist ein Fluss. Notiere eine Verlässlichkeit, ein Gottvertrauen in das dünne DIN-A6-Heft, das ich für 85 Cent im Krankenhaus-Kiosk gekauft habe; es ist glattblau, „Oktavheft" steht drauf, und auf den Linien halten meine Vokabeln den Kurs.

Das Café, in dem wir sitzen, heißt „Auszeit", und ich finde im Schreiben vorübergehend eine mehr oder weniger produktive Ruhe, folge der Unvollständigkeit halber den Spuren, hinterlasse meine Hieroglyphen im märkischen Sand der Großstadt, bevor der nächste Windstoß über sie hinwegfegt, in mein Haar greift, das sich weigert, gekämmt auszusehen, das unordentlich fliegt, klebt, verhext ist, egal, wie oft ich mich daran versuche – die trockenen Strähnen bleiben in der trockenen Berliner Luft die eines ruppigen Berliner Kindes, eines struppigen Hundes, der durch die Straßen schnüffelt [vielleicht fällt etwas für ihn ab?] und an jeden Baum pinkelt, weil alles sein ist, seins, weil doch alles allen gehört und er zeigen will, dass er auch dazu gehört zu den Gehörenden.

Hoffe auf Schlaf mit seinen halben Bildern, deren Vervollständigung [wiederum] zu wünschen übrig ließe. Und auch das wird ein Glück sein, nehme ich an. Das Wünschen. Weil jeder Wunsch einen neuen Wunsch zeugt wie jeder Tag ein neues Leben, ein Geschenk. Von Gott, glaube ich. Jedenfalls: gegeben. Das Glück entsteht an den seltsamsten Stellen, wie ein Staudamm, der unvermittelt aufbricht. Immer gibt es Lücken. Auch darauf kann ich mich verlassen. Mein Scheitern erodiert, denn dieser Tisch, an dem ich sitze in der Auszeit, hat genau auf mich gewartet, ob ich es glaube oder nicht: eine Entscheidung.

Die Zeit anhalten, ein gutes Stück Brot lang. Dran kauen.

Die Frau am Nebentisch zahlt für beide. „Damit hatte ich jetzt nicht gerechnet", behauptet ihr umfangreicher Begleiter, auf pro-forma-Protest verzichtend, sie der Beteuerung enthebend. Er sagt: „Ich nehme das mal als gegeben hin."

„Ja, nimm's als gegeben", stimmt sie zu, und ich staune: Aus manchen Mündern kommen Plattitüden so aufrecht daher, dass sie zu Weisheiten werden, die sich gewaschen haben.

XXVII

[Was ich nicht erzählen kann, davon schreibe ich, das Schreiben ist mein Hort, mein sicherer Ort, bedroht von jedem Buchstaben, von jedem Wort, das zu viel oder nicht gewagt wird. Mittlerweile bin ich sicher, dass nicht das

Schreiben das Dunkel produziert, sondern im Gegenteil, mir hilft, mich darin zurechtzufinden. Mein sicherer Ort ist meine Verletzlichkeit.]

Beim Schreiben ist der Hörraum unendlich, obwohl synchron [oder weil?] keiner zuhört. Schreiben ist halten und loslassen in einem Schwung.

Ich lese ein jahrealtes Gedicht wieder, weil es veröffentlicht wird: Stimmt es noch? Berührt mich heute an anderen Stellen, winkt mir aus der Ferne, milde lächelnd, und sagt nichts als die Wahrheit. Ein Komma fehlt, und ein Punkt ist zu viel. Was mir wichtig war, was mir bleibt, einige Zeilen, abgespalten, ausgeschiedene Gallensteine, fast feucht noch, glänzen auf Weiß: als Erinnerung an die Erinnerung.

XXVIII

Eigentlich könnte ich jeden Tag feiern, dass ich am Leben bin. Stattdessen verlange ich mir Leistung ab, bis ich sterbe.

XXIX

Im Fernsehen [„öffentlich–rechtlich“] gibt es eine Show, in der Kinder Erwachsene herausfordern. Meine Kinder und ich schauen diese Sendung auch ab und zu, hin- und hergerissen zwischen Bewunderung der dargebotenen Leistungen und Unbehagen.

Die Kinder werden begleitet von ihren Familien. Stets sind es Vater-Mutter-Kind-Kind-[Kind]-Familien, keine Alleinerziehenden, keine Einzelkinder, das gute, deutsche, hart arbeitende Bürgertum. Stets haben die Eltern, zumindest der Vater, eine anständige Arbeit, die Kinder saubere Kleidung und gute Manieren. Sie repräsentieren die Leistungsträger der Gesellschaft.

Der Moderator ist geschickt bemüht, den Kindern den Weg zu ebnen, gibt Zuspruch und Anfeuerung. Seine Zuwendung ist erhältlich im Tausch gegen die Leistung der Kinder – sie sollen möglichst reibungslos ihre möglichst ausgefallene Showeinlage bringen, damit die möglichst authentischen Kindergesten uns Zuschauer rühren.

Zwischen den Einlagen ertönt aus dem Off eine männliche Werbestimme mit Superlativen, die die noch ausstehenden Kunststückchen anpreist, damit wir nicht etwa umschalten. Zusätzlicher Anreiz sind mehr oder weniger prominente Gäste, die auch selbst gegen die Kinder antreten und auf einen der beiden „Duellanten" setzen. Der Promi, der die meisten Punkte erzielt, erhält 30.000 Euro für einen karitativen Zweck seiner Wahl. So weit, so „gut".

Bei den Kunststückchen geht es um Leistung. Die wird in Schnelligkeit gemessen. Sich-etwas-Ausdenken, sich-etwas-merken, eine Bewegung ausführen – wird bewertet im Vergleich mit einem Größeren, mit einem Erwachsenen. Die

Sendung heißt „Klein gegen Groß“, aber eigentlich ist es umgekehrt: Große stutzen das Kleine zurecht, entfernen alles Langsame, „Unschöne“, Eigenwillige, damit es in die Leistungsgesellschaft passt. Es geht immer darum, wer besser [= schneller] ist. Der Druck, vor Kamera und Publikum zu zeigen, was man kann, ist groß – und die Kinder funktionieren erschreckend gut: Keines weint, keines kneift, keines flippt aus – sie *liefern* das Verlangte, sind höflich, selbstbewusst, Gewinnertypen. Sie nehmen die zuvor geübten Positionen und Gesichtsausdrücke ein, tun, was ihnen gesagt wird.

Vermutlich drücken auch die anderen Zuschauer – wie wir zuhause vorm Fernseher – dem Kind die Daumen. Selten verliert ein Kind seine Wette gegen einen Erwachsenen, oft wirkt es wie ein abgekartetes Spiel, als sei der Erwachsene präpariert, das Kind gewinnen zu lassen. Wenn es doch einmal verliert, verhält es sich stets vorbildlich und fair. „Negative“ Gefühle sind nicht vorgesehen.

Meine Kinder und ich, die wir weniger sensationell durchs Leben gehen, und auch mal das Mensch-Ärgere-Dich-Brett durchs Zimmer werfen vor Wut, lernen beim Zuschauen: Leistung muss man bringen. Können muss man möglichst vielen Leuten auf möglichst professionelle Weise zeigen. Und Lächeln dabei, bis der Kiefer schmerzt. Dann wird man geliebt, oder jedenfalls beklatscht. Nichts ist *umsonst*.

Eine ganz eigene Arena ist das, ein Zirkus, der die Niedlichkeit und das zum Wettbewerb – „Duell" – umfunktionierte Hobby der Kinder zur Schau stellt. Jedes Kind erhält eine Belohnung dafür, dass es sein – stets „spektakuläres", „sensationelles" – Können unter Beweis stellt und sich in aller Öffentlichkeit zum Affen macht.

Diese Belohnung nennt der Moderator „Geschenk". Das hätten sie sich „verdient". Er betont das, obwohl das Wesen eines Geschenks gerade darin läge, dass es geschenkt – und eben nicht verdient wird.

In der Show erscheint es zentral – nicht für die Kinder, sondern für den Moderator, beziehungsweise die Regie. Nach dem „Duell" steuert er möglichst schnell auf die „Geschenk"-Übergabe zu.

Während ein Mädchen noch ihren Triumph auskosten möchte, zu den Eltern rennen zur Umarmung, oder ein Junge um Fassung ringt, weil er nicht gewonnen hat, drängt der Moderator voran, zum „Geschenk", als sei dies der eigentliche Zweck der Show. Jedes Mal ist es etwas Teures, das das Kind sich zuvor gewünscht hat.

Nun muss es noch Überraschung heucheln und durch möglichst überschwängliche Freude glänzen – „Du kannst dich jetzt freuen!" – dann ist es überstanden.

Ist es das?

XXX

Als Zeitungsleserin soll ich glauben, dass Vertrauen eine Währung ist. Ich lese: „Der persönliche Zuspruch, den ein Politiker genießt, ist eine harte Währung, wenn es dann nach der Bundestagswahl um die Verteilung wichtiger Posten geht.“[2] Der Journalist hat nicht nur verstanden, sondern gefressen, wie hart und währungshaft es da draußen zugeht, in der Politik, die in Kategorien von Wirtschaftsunternehmen gemessen wird. Politik soll *liefern*.

Eine große Krankenhausfirma bezeichnet sich in der Selbstdarstellung als „größten konfessionellen Gesundheits-*Anbieter*“ der Region. Therapien sind *Produkte*, es gibt Gesundheits- und Zeit-*Management*.

Nicht nur bei Aktienfonds, sondern auch bei Menschen in Führungspositionen ist penetrant und permanent von *Performance* die Rede. Selbst-*Optimierung* unabdingbar. Ich weiß nicht, was mich mehr deprimiert: Dass alle so reden, dass alle so gedankenlos so reden, oder dass niemand sich daran zu stoßen scheint. Jede ist gehalten, Verkäuferin ihrer selbst zu sein, „täglich abends den Tagesplan für den Folgetag erstellen, Uner-

---

[2] Zitat des ansonsten sehr geschätzten Hans Monath: "Ein Mann erfindet sich neu" [Bezug: Sigmar Gabriel], in: Der Tagesspiegel, 18.03. 2017.

ledigtes sichtbar machen, Ideen und Gespräche notieren, Arbeiten formalisieren [Standards, Standardbriefe], systematisch Regenerationspausen einlegen, Ziele formulieren, Arbeitspläne auf Tages-, Wochen- und Jahresbasis erstellen", empfiehlt ein Ratgebertext in der Zeitungsrubrik „Weiterbildung". Und vor allem: „KONTROLLE". All das soll den *Output* maximieren, die Effizienz steigern, das Soll erfüllen helfen. Schon vom Lesen bin ich erschöpft. Listen, Listen, Listen. Nie in der Gegenwart sein dürfen – immer in die Zukunft mich richten müssen, mich ausrichten, einstellen, Maschine sein.

Als ich einmal erwerbsunfähig war, weil ich mich an den Floskeln, Blasen und toten Worten der Polit-Werbe-Branche vergiftet hatte, absolvierte ich einen Kurs namens „Projektmanagement". Ich habe viel gelernt. Als Wichtigstes: Ich will keine Projektmanagerin sein, muss es aber. Schon als Mutter manage ich x Projekte. Auch in meiner jetzigen Arbeitsstelle.

XXXI

Womöglich ist der Zustand der Sehnsucht eher anzustreben als jener der – ohnehin nicht möglichen – „Erfüllung".

XXXII

Im Traum arbeite ich, vor mir ein Abgrund mit steilen, glatten Wänden. Daran hänge ich,

Hände und Füße rutschen ab, ich kämpfe. Ich fürchte, nicht weiterzukommen, strampelnd, mit schlechtem Gewissen, als hätte ich etwas zu tun versäumt, denn ich *müsste* es schaffen. Andere haben es doch auch geschafft, sich hoch zu arbeiten, und ich habe noch keinen Verlag für das Buch gefunden, das seit Jahren in der Schublade nässt wie eine Wunde. Schreiben ist kein Selbstzweck, sondern Hinsprechen. Ich möchte gelesen werden. Ich schreibe, damit jemand hört.

Und doch liegt darin auch Freiheit, die Chance zur – wenn auch traurigen – Selbstbestimmung. Der Markt hat keinen Zugriff auf mein Schreiben. Vermeide ich „Erfolg", wieder mal? Fürchte ich Fremdbestimmung? Ist Fremdbestimmung schlimmer als Scheitern? Bin ich mutig oder feige? Unabhängig? Oder einfach, was ich im Innersten stets zu wissen meine und mit jeder neuen Leistung zu widerlegen trachte, *nicht gut genug*? Ich bin: Streunerin, Zuschauerin, Übriggebliebene.

Mein Übermaß an Selbstkritik hindert mich nicht daran, zu bemerken, dass das, was aus den Mündern und Federn der so genannten Erfolgreichen kommt, nicht klüger, wichtiger, tiefer, schöner, bedeutender ist, als das, was ich zu sagen hätte. Was mache ich also falsch?

Meine Leistung ist keine, weil sie ungesehen, nicht gewürdigt wird. Leistung ist eine Ware. Waren tauscht oder verkauft man, wie

Informationen. Leistung tauscht man gegen Anerkennung und Geld. Solcherart geadelte – und eigentlich erst gewordene – Leistung [eine Zuschreibung!] führt zum Erfolg. Erfolg ist das Kapital, auf dem weiterer Erfolg wächst, ein Berg. Erfolglosigkeit entsteht, wenn meine Leistung niemand haben, kaufen, wahrnehmen will, wahrnimmt. Mütter, die Kinder aufziehen, sind keine Leistungsträgerinnen, sondern in der Leistungskarriere Behinderte. Ihre Lebensleistung bleibt unsichtbar, wird weder durch Geld noch Status/Wertbeimessung anerkannt. Dankbarkeit und Zuneigung sind keine Kategorien für Leistungsbemessung. Solange Mütter kein Geld und keine Anerkennung bekommen für ihre Lebensleistung, ist es in den Augen der *Welt* keine anzuerkennende, wertvolle. Weil alles in Geld und Status sich bemisst, ist das Private davon nicht ausgenommen: Es gibt kein Privates. Die Leistung wird erbracht und nicht als solche anerkannt.

Bezahlte [Dienst]Leistungen sind lukrativer und führen zu *Erfolg*. Was kein Geld bringt, was unsichtbar bleibt, bringt nichts. Mutterschaft ist kein Beruf, sondern ein tätiger Zustand, der die Leistungen späterer Erwachsener ermöglicht. Die Leistungen der Mutter sind Voraussetzung für das Leisten von Leistungsträgern, bleiben selbst aber unerkannt. Wenn eine Mutter davon nicht satt wird – und welcher Mensch wäre satt, wenn seine Leistung nicht anerkannt wird – muss sie sich entweder mit dem durch ihre Kinder vermittelten Erfolg [Schulnoten, musikalische und sportliche Talente, Mathematikfähigkeiten] sättigen oder erwerbstätig sein in einer Position, die denen von Nichtmüttern vergleichbar ist. Der Preis ist weniger intensive Erziehungsleistung, weniger Zeit für die Familie, weniger Kraft für sich selbst. Man nennt das „Vereinbarkeit von Familie und Beruf". Ich halte diese Vereinbarkeit für eine Lüge, weil beide Lebensbereiche ganz unterschiedlichen Regeln unterworfen sind. Wenn ich im Mutterbereich rechnen würde, meine Zeit etwa; meine Dienste, meine Effizienz oder meinen In- und Output berechnen würde, dann wäre ich keine Mutter, sondern eine maschinenähnliche Angestellte, die den Kindern all das Nichtberechenbare, Unberechenbare nicht geben könnte, das unbedingt zu geben ist.

Beide Lebensbereiche, Beruf und Mutterschaft, oder auch, wenn in ähnlicher Weise vollständig gelebt, Vaterschaft, erfordern jeweils gegensätzliche Grundhaltungen und Werte. Beide sind zwar mit *Projektmanagement* verbunden, wenn man Kinder und Haushalt und Beziehungspflege partout als Projekt betrachten will, samt Zeitmanagement, Controlling und Qualitätssicherung. Aber als Mutter bringe ich, zum Beispiel, den Kindern bei, möglichst nicht zu lügen, niemanden zu übervorteilen, sich nicht besser darzustellen, als man ist, hilfsbereit zu sein, die beste Lösung für alle Beteiligten zu finden etc. Und zwar aus Prinzip, nicht, um damit etwas zu erreichen. Im *Job* muss ich mich gegensätzlich verhalten: Ich sollte tunlichst die Wahrheit vermeiden, [dass ich mich schlecht fühle, dass ich den Sinn anzweifle, dass ich die zu benutzende Sprache zerstörerisch, die Machtstrukturen ungut und die Zwecke nicht erstrebenswert finde]. Ich soll freundlich sein, nicht weil oder wenn mir danach ist, sondern, um etwas zu erreichen. Ich soll mich besser darstellen, als ich bin und nicht davor zurückschrecken, Kolleginnen oder Kunden zu übervorteilen, dabei so tun, als wolle ich ihr Bestes. Ich soll nicht nachhaltig wirken, sondern wachstumsorientiert, betriebsegoistisch, keinesfalls das große Ganze sehen, „Team" sagen und so tun, als wäre es eins, und Klamotten anziehen, die mir nicht stehen.

Die Vereinbarkeit von Familie und Beruf läuft im Grunde darauf hinaus, dass die Erwerbsarbeitsbedingungen – Zeitmanagement, „Qualität", Leistungsorientierung, Erfolgsstreben, Effizienz etc. – auch im Familienleben Anwendung finden [müssen].

Eine Tochter von Bekannten hat neben dem Klo eine Liste hängen, die ihr knappes morgendliches Zeitbudget vor Schulbeginn an diverse Aufgaben koppelt: „Anziehen, Katze streicheln, Frühstück, Zähne putzen, Mappe überprüfen, Losgehen" – Zeitmanagement einer Siebtklässlerin. Das Mädchen ist erfolgreich, schreibt gute Noten, sieht perfekt aus, benimmt sich und funktioniert bestens.

XXXIII

Während ich dies schreibe, will ich nicht wissen, wohin es führt. Ich gehe querfeldein über die Tasten, das Leben, das Schreiben, will nur abwägen, in welcher Reihenfolge und in welchem Ton die Worte fallen. Ich schreibe am Leben entlang, oder schreibt sich das Leben entlang, keine Frage, sondern ein notwendiges Spiel, dessen Regeln das Experiment sind: nicht wissen, wohin, wo lang, wofür. Ins Blaue.

Der erste scheinbar ziellose Text, seit ich Kind war. Damals schrieb ich mit dem Ziel, mich zu unterhalten, aber, glaube ich, ohne Konzept. Ich unterhielt mich in beiderlei Sinne: den Text, sobald verfasst, legte ich weg, um ihn nach ein paar Tagen wieder zu lesen, neu zu entdecken: mich unterhalten zu lassen. Und: unterhalten mit jemandem, den es nicht gab noch gibt. Jemand, der meine Worte für bare Münze nahm, denn das waren sie! Sind es noch. Eine wahrere Münze gibt es nicht. Unterhalten im Sinne von Ernähren war derweil kein Ziel, ist auch kein Ziel, aber wenn meine Buchstaben nähren könnten, mich und andere Lesende, wären sie glücklich.

XXXIV

Als Kind hatte ich den Zweifel nicht und wusste noch nicht, dass mein Ziel nicht reicht. Heute habe ich ein Konzept. Heute korrigiere ich meine Ziele immerzu und bringe mich aus dem Konzept. Heute suche ich Worte und misstraue den gefundenen. Heute bin ich eingetaktet in Maschinenblau, das Fenster auf einem Auge blind. Heute seh ich keinen Tag, die Stimme zu erheben. Das Papier wirft Blasen. Immer noch habe ich keinen Grund gefunden, der mich zum Schreiben bringt, doch ich lese ihn auf vergilbtem Plakat bei einer Lesung, an der ich teil habe: „Das Gefühl präziser Haltlosigkeit beim Festhalten der Dinge". Das verjährt nicht, ich fühle mich schuldig und weiß nicht, wofür. Mein Herzblau leg ich in Scheiben. Davon überleb ich.

XXXV

Meine innere Leistungsgesellschaft zerreißt sich die Mäuler, über meine Gedanken, meinen Trotz. Es gibt Stimmen darin, die verstummen nie, auch nicht im Schlaf.

Tu etwas Sinnvolles.
Ruh dich nicht aus.
Du hast wenig Zeit.
Du kannst morgen tot sein –
was hast du bis jetzt geschafft?

Eine leisere flüstert, manchmal, *ruh-dich-aus*, doch wenn ich [wer ist ich] darauf höre, erlischt ihr Flüstern, als schämte sie sich.

Die Ausruh-Stimme schämt sich für sich und für mich.

Es gibt Stimmen, die stellen mich auf die Probe, die fordern meinen Widerspruch, wollen zwar vernommen, aber nicht als Ratgeberinnen ernst genommen werden, weil sie sich selbst nicht ernst nehmen. Ich weiß nicht, woher sie kommen.

Waren sie immer da? War überhaupt eine Stimme schon immer da? Bin ich von Vorgeburt an zu Leistung angespornt, von der Zeugung an darauf vorbereitet, an diesem Anspruch des Immer-Besser, Immer-Mehr, Nie-Genug und zugleich Zu-Viel [Gefühl, Hunger, Wollen, Fehlen, Ideen] zu scheitern? Oder gab es eine Zeit, in der mein Kopf ruhig war, ein schweigendes Meer, Wellen, die kamen und gingen wie das Licht? Gab es Klang, der nichts forderte, nichts erwartete? Eine Erinnerung gab es? Daran, was sein könnte? Gab es eine Erinnerung an das, was ich sein könnte, wenn ich nichts sein, nichts leisten müsste?

Bei solchen Gedanken schrillen in meiner inneren Leistungsgesellschaft alle Alarmglocken. Aufruhr. Geschrei: *Leistung-muss-sein!!! Ohne Leistung kein Leben. Was nimmst du dir raus. Dir geht es doch gut.*

Dir geht es zu gut. Mir geht es zu gut.

XXXVI

Ich habe eine Leistung vollbracht und kann mich nicht freuen. Eigentlich sind es mehrere Leistungen: Für meinen derzeitigen Arbeitgeber habe ich einen Schreibwettbewerb konzipiert, organisiert, beworben, durchgeführt, die Jury zusammengestellt, die Sponsoren und „Unterstützer" gesucht, Sitzungen geleitet, Preise besorgt, die Preisverleihung geplant, eingeladen, moderiert, die Texte für ein Buch ausgewählt, lektoriert, Korrektur gelesen, Grußworte eingeholt, ein Vorwort geschrieben, eine Danksagung, das Impressum, Autorinnen getröstet, deren Texte nicht in der Anthologie vertreten sein werden, die Zustimmung zur Veröffentlichung erbeten, Angebote fürs Layout eingeholt, mit dem Grafiker konferiert, x Mails geschrieben, Rechnungen abgezeichnet, Kapitel ausgedacht, Entscheidungen getroffen, das Okay vom Chef geholt, auf der Webseite berichtet, für einen Fehler im Inhaltsverzeichnis eine Rüge empfangen, das Abendessen nach der Veranstaltung überstanden, das verspätete Erscheinen des Pianisten entschuldigt, das nicht funktionierende Mikro verkraftet, die Bücher an Pressevertreterinnen und Autorinnen eingetütet samt Anschreiben und Zur-Post-Bringen, die Schlepperei erduldet, fehlende Anerkennung all der Arbeit weggesteckt ebenso wie das trostlose Gefühl, das entsteht, wenn man allein arbeitet, allein die Verantwortung trägt, nur auf die eigenen kreativen und organisatorischen Fähigkeiten zurückgreifen soll, niemanden damit mehr als nötig behelligen, mit niemandem zusammen sich freuen, sich fürchten, planen und arbeiten und schließlich hier sitzen und mich fragen: Warum bin ich traurig über meinen Erfolg? Warum freue ich mich nicht über meine Leistung, über deren sichtbaren Ausweis, das Buch? Warum sehe ich nur unscharf, was gut, und haarscharf, was schieflief, was ich „falsch" gemacht habe oder „besser" hätte machen können? Meine Seele und mein Herz gab ich, indem ich anregte zur Nachdenklichkeit, zum Schreiben, indem ich gute Worte fand für die Moderation – was bedrückt mich jetzt, danach? Ist es das Gefühl, dass niemand – auch ich selbst nicht – zu schätzen weiß, was ich geleistet habe?

Ich habe sogar, was ich gar nicht brauche, einen Blumenstrauß vom Chef bekommen. Und habe doch den Eindruck, es werde nicht geschätzt, was ich tue.

Menschen, die mit Wertschätzung geizen, machen mich und die Welt arm und niedrig. Ich geize mit Wertschätzung mir selbst gegenüber. Ich mache mich arm.

XXXVII

Dem Höher-Weiter-Schneller-Besser widerspricht hartnäckig ein inneres Rundsein. Rundsein wollen. Ein kreiselndes, spiraliges

Spüren nach dem Richtigen, nach einer Mitte, die nicht oben, sondern innen ist, jedoch zugleich umfängt. Und in dem Kreiselnden gibt es immer wieder ein Neuanfangen, ohne dass der Kreis bricht.

XXXVIII

Unverhofft etwas Schreibzeit, kostbar, den Druck der Fingerkuppen auf den alten runden Tasten zu spüren, die hüpfenden Buchstabenstempel anzufeuern, die halbrund daliegen wie ein Schoß. Die Schreibmaschine ist mein Klavier.

Ein paar Minuten, bevor es losgeht, in die Maschinenwelt, die Dingwelt, die Ich-Welt, die alle ergriffen hat, alles umfängt, die Welt der Züge, der Autos, der Rechner, der beweglich beleuchteten Werbeplakate, der gehetzten Bequemlichkeit, der verpackten Mittagessen und gerunzelten Stirnen vor blauen Bildschirmen.

Ein paar Minuten Schreibluft am Morgen, nach den ersten Pflichten vor den weiteren Pflichten, von denen nur ein Bruchteil „sinnvoll" ist, oder gar „notwendig", doch ich werde dafür bezahlt und würde mich wertlos fühlen ohne die Erfüllung veräußerlichter Pflicht, wertlos ohne Bezahlung meiner Arbeit.

Ein paar Minuten unbezahlte Zeit, gestohlen und geschenkt.

Nicht genug, um „Das Kapital" aufzuschlagen und von Gebrauchswert, Tauschwert und Warenwert zu lesen. Vom abstrakten Arbeitsquantum, das in jedem Ding, in jeder Dienstleistung steckt, unabhängig von der jeweils konkreten Tätigkeit, die für deren Produktion bzw. Kreation erforderlich ist. [Geronnene Arbeitszeit steckt in dieser Schreibmaschine, die mein Opa einst gegen Geld erworben hat, ich weiß nicht genau, wie alt sie ist, ob es D-Mark oder noch Reichsmark waren, in jedem Fall Geld für geronnene Arbeitszeit, um weitere Arbeit gerinnen zu lassen, zu einem Tauschbaren zu machen, zur Ware.]

XXXIX

Die Kneipe ist voll. Ein Fußballspiel der „Champions League", live vom Bezahlfernsehen übertragen. Auf der Großbildleinwand erscheinen in eindrucksvollen Grafiken die „Giganten" und ihre „Aufstellung". Zusammen mit anderen sitze ich gedrängt davor und versuche zu verstehen.

Ein Verein der deutschen Bundesliga spielt gegen einen spanischen Club. Die von der Kamera eingespielten Ansichten der Fans im Stadion zeigen die Sponsorenlogos auf den Trikots – eine arabische Flugzeugfirma, ein französischer Autokonzern, ein japanisches Mobilfunkunternehmen – das gesamte Stadion ein globaler Werbeträger, die gesamte Mannschaft jeweils „eingekauft" aus diversen Erdteilen. Internationale Überläufer. Die Leute in der Kneipe favorisieren dennoch die „deutsche" Mannschaft, nehmen die „Champions League" als Länderspiel-Ersatz. „Auch wenn es nicht der eigene Verein ist, sind wir für die Deutschen!", bestimmt der Lauteste im Lokal, nur um sich prompt selbst zu widersprechen, indem er einem Hereinkommenden zuruft: „Was suchst du denn hier! Du komm morgen wieder, da spielt *dein* Verein!"

Der laute Mann im Lokal staucht auch den mitgebrachten Sohn und die Bedienung zusammen, sein Bier kommt ihm zu langsam, der Schiedsrichter auch. Und wenn die Helden auf dem Platz versagen, hagelt es Beschimpfungen, die mit jedem Hefeweizen maßloser werden. Sein erwachsener Sohn bleibt bei Apfelschorle und versucht, die schlechte Laune und das schlechte Benehmen des Vaters nachzuahmen, doch kann er nicht mithalten. Schimpfen und Loben darf nur er, der Alte, der Junge möge „endlich die Klappe halten". Jede Schiedsrichterentscheidung sei „unfassbar", „gekauft", ein Skandal, wenn sie einen Nachteil für die eigene Mannschaft bedeutet. Der Held der gegnerischen Mannschaft sei ein Kerl der übelsten Sorte, der ALLE miesen Eigenschaften der Welt auf sich vereinige. Es ist nicht gestattet, Leistungen der „Gegner" zu würdigen. Ungeschriebenes Fußballgesetz.

Die Hälfte der Spieler auf dem Platz war bis vor kurzem verletzt [oder ist es noch], auch der Stürmer-Gigant, der trotzdem „aufgestellt" wird, weil er als Held keine Wahl hat, doch man sieht es seinem Gesicht an: Sorgenvoll wirkt es, müde und angestrengt. Vielleicht tut ihm etwas weh. Seine Verletzung ist wie jede Fußballverletzung Beleg des Heldentums, aber sie darf nicht lange dauern, der Spieler darf nicht „ausfallen“. Notfalls zieht er auch mit monstermäßig geschienter Nase, bandagierten Knien, Fersen, Fingern in den Kampf.

Die andere, nicht verletzte Hälfte der Bundesligamannschaft ist alt [Mitte dreißig] und rennt nicht mehr so schnell wie früher. „Vor fünf Jahren hätte er sich durchgesetzt“, mault einer neben mir, der offenbar auch „verletzt“ ist: Er hustet und niest.

Ich fürchte, dass er mich ansteckt – auch ich muss funktionieren, auch ich darf nicht ausfallen! Unauffällig halte ich mein Gesicht abgewendet und reagiere nicht auf seine Kommentare, die mich ohnehin überfordern. Bin froh, wenn ich die Namen der Spieler kenne und nicht fragen muss, was „Abseits“ bedeutet. Wieder Husten. Notfalls geht man auch mit Grippe in die Kneipe, wenn anders das Spiel nicht zu schauen ist. Ich habe Angst, etwas Falsches zu sagen, mir eine Lächerlichkeit einzufangen. Wenn einer, jederzeit bereit zum Wütendwerden, alles plattmacht, stellt er überall Fettnäpfe für die anderen auf und freut sich, wenn jemand in die Falle tappt. Macht der Ohnmacht.

Also schweige ich und höre zu. Und sehe: So viele Schmerzen, die sie sich zugefügt haben im Lauf der Jahre, die Spieler, die Männer im Gastraum, ich auch, im Bemühen, Fehler zu vermeiden, Scharten auszuwetzen, das „Gesicht nicht zu verlieren", keine Angriffsfläche zu bieten, überlegen zu wirken; eine schmerzliche Endlosschleife, an der ich mitwirke. Doch die Giganten auf dem Fernsehfeld sind berühmte Millionäre, nachweislich ERFOLGREICH, säkulare IKONEN – wir im Gastraum wären es nur gern. *Erfolgreich.*

Auch wir würden gern eine Arbeit tun, die uns Freude macht und uns erfüllt, so wie die Kunstmacher auf dem Feld. Deren Siege und Erfolge, die Anerkennung der gesamten Fußballwelt prägen ihr Lächeln, ihren Gang, ihre Brieftaschen, ihre Gesten. Sie sind schön, weil man sie schätzt, weil sie tun, was sie am besten können. Weil sie voll bei sich und ihrer Sache sind. Wie jedem Kunstmacher, jedem Arbeiter, der sein Handwerk versteht, schaut man ihnen gerne zu. Auch den Kellnerinnen schaue ich gerne zu: Auch sie tun, was sie gut können und haben eine eigene Anmut.

Der Laute im Raum sieht nur sein kaputtes Heldentum. Er weiß genau, wie jedes Tor zu schießen und jeder Sieg zu erringen wäre und was auf dem Platz falsch läuft. Seine traurig geschürzten Lippen brüllen alle Fehlenden nieder.

Ich unterdrücke den Impuls, ihn zu bitten, weniger aggressiv zu sein, obwohl am Tisch auch Teenager sitzen, die all die SCHEISSE, BLÖDMANN, VERSAGER, NIETE, VOLL-IDIOT, TROTTEL anhören, und Hässlicheres, das ich nicht aufschreiben mag. Ich bin hier nur Fußballzaungast, spiele beklommen mit und erwecke den Eindruck, dass nichts außer den Fußballhelden meine Aufmerksamkeit fesselt. Ich sehe: Spieler auf dem Platz müssen ohne Fehl und Tadel sein. Es gilt, die „eigenen" zu verherrlichen oder auch, wenn es sein muss, zu mobben: „Der muss vom Platz!" „War schon immer eine Fehlbesetzung!" „Lausig!" „Wieso hat man die lahme Ente aufgestellt!"

Was defekt wirkt, wird ausgesondert, herausgerissen, eliminiert. Schwache Glieder haben es nicht verdient, auch nur geduldet zu werden. Profifußballern ist es nicht gestattet, einen schlechten Tag oder gar eine Depression zu haben. Das Schicksal von Helden: Sie dürfen keine Menschen mehr sein.

Ich sehe auch: Mindestens so interessant wie das Fußballspiel und die Kommentare der Saufenden im Saal ist das Zusammenspiel der Bedienung. Die Großbildleinwand befindet sich in einem Lokal, das auch „schwer vermittelbaren" Menschen eine Chance gibt, Behinderten, Langzeitarbeitslosen – den schwächsten Gliedern der Kette einen Ort des gleichberechtigten

Lernens und Arbeitens ermöglicht. *Live.* Deshalb läuft hier nicht alles so glatt wie in anderen Läden, sondern mitunter eckig, unbeholfen, langsamer – fehlerhaft. Das ist der Preis dafür, dass man für Bier und Public Viewing nur sieben Prozent Mehrwertsteuer bezahlt. Der übervolle Gastraum heute ist eine Herausforderung, vor allem für die behinderte Belegschaft.

Ein junges Mädchen bedient zum ersten Mal in so einer Umgebung. Tippt Bestellungen ein. Erträgt die Ungeduld der Männer, die winken, rufen, beleidigt gucken, weil sie ihr fünftes Bier unbedingt sofort haben wollen. Aus Versehen schüttet es Hefeweizen auf eine Herrenhose. Kramt hektisch Küchenpapier und Entschuldigungen hervor. Seine Anleiterin bewahrt Ruhe. „Passiert", meint sie schlicht. „Alle machen Fehler." Die junge Kellnerin schafft es, nicht zu weinen, sondern weiterzumachen, noch konzentrierter jetzt, den Anforderungen zu genügen. Die anleitende Bedienung behält sie im Auge, spricht Mut zu, signalisiert, dass *alles in Ordnung* ist.

Dieser Dienst sticht still hervor aus dem Trubel der Feierabendhelden. Ich sehe: Bewundernswert ist nicht die große Geste der Sieger da oben in Nahaufnahme, auch nicht das dicke Geld, das uns das gekaufte Heldentum aufs Auge drückt, sondern das unaufgeregte Zusammenwirken der unauffällig Arbeitenden hier unten. Die wahren

Helden sind nicht die Giganten auf dem Platz, sondern die Kellner in der Gaststube.

XL

Was früher „Über-Ich“ war, ist heute „Druck“. Beides zweifelhafte Treiber. *Tue ich genug? Lasse ich das Richtige? Besteht mein Leben die Prüfung? Welche Prüfung? Jeden Tag mindestens eine. Bestehe ich?* [Wer ist das? Wer wäre ich ohne Druck? Wäre ich überhaupt? Gäbe es mich? Würde ich etwas deutlicher spüren? Liebe?]

Seit über 22 Jahren Liebe zu den Kindern. Der Magen meldet Angst, wenn einer meiner Liebsten das Haus verlässt, und sei es nur für einige Stunden. Verlassenwerden macht Angst. Die Töchter sind ausgezogen. Ein paar Jahre noch, dann gehen auch die Söhne. Die Mutterzeit nähert sich ihrem Ende. Die Zeit, in der ich fraglos gebraucht werde und Sinnhaftigkeit schon durch pure Anwesenheit nachweisen konnte.

Geht dann auch der Erziehungsdruck vorüber? Oder, frage ich mich weiter: Ob meine Leistung bezüglich der Kindern gut genug ist? Haltbar genug? Angemessen genug? Kritisch genug? Frei genug? Sicher genug? Funktionieren die Kinder genug? Und nicht zu viel? Können sie glücklich sein? Sich behaupten? Lasse ich nun genug los? Und dann? Wer bin ich eigentlich ohne Erziehungsdruck und Kindernerverei, wenn ich nicht Hände, Rücken, Köpfe und Seelen streichle, mitdenke, zahllose Fragen beantworte, zahllose Fragen stelle, jeden Abend die Anweisung zum Zähneputzen wiederhole, dass mir der Mund fault, koche, einkaufe, wasche…? Sie werden zu groß für meine Mütterlichkeit. Was macht mich sonst noch aus? Ich weiß nicht, wer ich bin, ohne Kinder zu versorgen.

Ich will mich kennenlernen.

Habe ich mir deshalb jetzt schon ein Beraterin-Ehrenamt aufgepackt, mich für acht Stunden im Monat dienstverpflichtet? Oder habe ich das getan, weil ich grundsätzlich meine, nicht genug zu geben?

Kinder sind ein 24-Stunden-Job. Eine Einbahnstraße. Wo führt sie jetzt hin? Ins Nichts? Zurück geht nicht. Ich spüre Trauer, aber auch, dass es langsam genug ist. Ich will selbst weitergehen, selber wachsen, mich, bestenfalls, erziehen, rausziehen aus dem Dauerdruck.

Nicht mehr die liebe Schimpfe-Mama sein. Die verhinderte Frau.

XLI

Im Radio ein Gespräch mit einem, der ein Buch über Erwerbsarbeit geschrieben hat: Es sei eine Zumutung, erklärt der Schreiber, für die Arbeit „brennen“ zu sollen, und „Leidenschaftlichkeit“ in der Stellenausschreibung zu verlangen. Die Zeit, die man bei der Arbeit verbringe, sei über-, und geregelte Arbeitszeiten würden unterschätzt. Wichtig sei, die Arbeit möglichst gut zu machen, davon auch die Vorgesetzten in Kenntnis zu setzen – und nicht das Privatleben, Freunde, Familie, „Hobbys“, zu vernachlässigen. Man solle sich nicht von einem „herausfordernden“ Job verleiten lassen, auf ein angemessenes Gehalt zu verzichten bzw. dieses und das Leben auf irgendwann zu verschieben. Dieses Irgendwann werde nicht eintreten, Jahre der [Selbst]Ausbeutung blieben ohne Lohn. Es komme gar nicht auf die große Belohnung, Belobigung, Beförderung, Wertsteigerung an, sondern schlicht auf die Erkenntnis, dass Jahre verstrichen sein würden, in denen wichtige Dinge liegen geblieben wären.

Wenn man sich selbst vergisst und das Soll übererfüllt zugunsten einer überfordernden Arbeitsethik.

Ja.

Ich lebe und atme und schreibe, und muss mit einer Arbeit Geld verdienen, damit ich leben, atmen und schreiben kann. *Leben heißt Arbeit. Arbeiten bedeutet, am Leben zu sein.* [Oder?]

XLII

Ich kann mich nicht ausruhen – weiß nicht, wie das geht! Lernt man das nicht in der Schule? Meine Kinder wissen es. Sie können *chillen*, auch die beiden, die schon erwachsen sind, wissen es noch. Gebe Gott, dass sie es nie verlernen! Habe ich es mal gekonnt und gewusst? Vor dem Erwachsensein? Vor dem ersten Kind? Ich kann mich nicht erinnern.

Ich übe, doch sträubt sich mein Innerstes, wenn ich nichts tue, nichts bringe, nichts schaffe, nichts wert bin. Keinen Mehrwert vorweise. Keinen *Output*. Ich schaffe es nicht.

Wir haben uns die Welt kaputt geschafft, so kommt es mir vor, wir Leistungsträger. Mein armer Körper, meine arme Seele, mein armer Geist: versehrt. Dürsten nach Berührung, finden sie nicht. Ich suche, aber renne gleichzeitig fort und verschließe die Augen, die Ohren für mich, lege Tun auf meine Splitternacktheit, lasse Buchstabensplitter fallen wie Hänsel und Gretel ihre Brotkrumen, die unverdaulichen Steine, und hoffe wild und umsonst, es möge jemand meine Spur aufnehmen, mich finden, bevor mich die Hexe in den Käfig sperrt, mästet und frisst.

Pflücke Splitter von der Straße, von den Begegnungen, die sich nicht vermeiden lassen, oder die ich herbeiführe, ein Kraftakt. Sehne mich [hilflos] nach einem Ende der Verschiebung, Zeitverschiebung, Lebensverschiebung, Seinsvermeidung, morgen, übermorgen, bald, irgendwann muss es doch gut sein? Muss die Belohnung doch kommen? Der Beweis, dass es mich gibt? Dass es mich *nicht umsonst* gibt! Die Unmöglichkeit will ich mir nutzbar machen, nicht mehr leugnen: meine Unmäßigkeit, mein Übermaß, meine Unbändigkeit, den unstillbaren Hunger, der Keim, den sie mir unter die Haut gelegt haben, wer, meine Eltern vielleicht, zusammen mit den andern Lebensverwüstern, Lebensermöglichern, wie in alle andern, der Keim des notwendigen Ungenügens.

Zwischendurch Glück. Grün. Luft. Details. Die Ente, der Spatz, das klitzekleine Blütlein, das Rauschen, das Vogelkonzert, das Wissen um die unbedingte und unbändige Freude, da draußen und in mir, die es immer wieder zu entdecken, zu verteidigen, zu erobern gilt, die es immer wieder zu empfangen gilt, neu, und zu schenken.

Ich lerne: Nicht mal aufs Unglücklichsein kann ich mich verlassen. Der Trauer, wenn ich mich grad so hübsch in ihr eingerichtet habe, kommt immer wieder das Glück dazwischen, drängelt. Das Hin und Her erschöpft und tröstet mich, das Glück als der Trauer Gefährte. So war es wohl immer, so wird's immer sein.

XLIII

Lesen ist Hören. Meine Stimme erstickt, wenn niemand sie hört, und dann ersticke ich auch. Höre mir selbst beim Verstummen zu.

Wenn ich singe, könnte man mein Innen von außen sehen, doch es hört keiner zu, ich weiß nicht, ob das beängstigend ist oder die Rettung sein könnte. [Vermutlich beides, doch Rettung wovon und Angst wovor?]

Die Trauer darüber fühlt sich an, als hätte sie ihren Grund in der Vergangenheit, als ich mich lehrte, jedes Gefühl auf seine Tauglichkeit abzuklopfen. Ich analysierte, begründete, rechtfertigte, erlaubte, verbot, in jedem Fall: stellte in Frage. Mich. Bis heute. [Jede Klammer zeugt davon.]

Stellte mich in ein Fischglas und schaute von außen, was das Ding darin soll, was es bringt.

Ich durfte von innen nicht sein.

[Warum habe ich gehorcht – und wem?]

Beim Schreiben versuche ich zu heilen, was unheilbar ist. [Ich weiß nicht, ob das stimmt, beides, und schon sind sie wieder da, die Klammern, die mich einsperren, mich aussperren, mich von mir fernhalten, indem ich zugleich von außen *und* von innen schaue, schreibend, notierend, mich gehen lassend. Versuchshalber, nur versuchshalber, stets vorläufig, revidierbar. Was würde passieren, wenn ich mich von innen sein ließe? Wer ist das? Warum fürchte ich mich? Das angeleinte Ich zerrt am haltenden Ich, am Kontroll-Ich. Und umgekehrt. Nehmen Leute deshalb Drogen? Aus welchem Stoff besteht diese Leine und seit wann habe ich sie? Wer hat sie mir in die Hand gedrückt? Ich selbst? „Das Leben"?]

Lasse mich leben in genau abgesteckten Bereichen, in Sicherheit, in Maßen, denn sonst, fürchte ich, würde ich verrückt. Ich bin mein Experiment, bin mein Objekt des Lebens, behalte die Kontrolle, damit ich nicht ausbreche [wer?], aufbreche. [Wohin?]

Kontrolle heißt: bewerten, wie ich es gelernt habe. Unter Vorbehalt gestellten Maßstäben genügen, „eigenen" Ansprüchen. Der Zweifel sitzt tief, am Grunde die auszurottende Überzeugung, dass ich nicht genüge, gar nicht genügen *kann*. Und stets verbirgt sich in jenem Genügenwollen [aber nicht-können] die Hoffnung, es sei irgendwann genug, es erfolge irgendwann doch noch die heißersehnte, kalt vermisste Anerkennung all meines Leistens, all meines Lebenskampfes. Was nur Gott kann.

Diese Anerkennung wird nicht erfolgen, weil mein Streben auf ihrem Nichteintreffen basiert. Ich hätte nichts, wenn ich mein Streben nicht hätte, wäre niemand. Nichts.

Die Würde des Menschen ist unantastbar, heißt es. Eine Utopie. Ich lasse sie täglich antasten, angrabschen von meinen Zweifeln, unerfüllbaren Ansprüchen an mich selbst, von meiner selbstverächtlichen Hybris, mit der ich mich täglich ins Feuer des Nichtgenügens schicke.

Es hat mich gehärtet. Es brennt mich weg. Ich bin mit Löschen beschäftigt, doch nie vollständig, denn das Brennen selbst ist mir eingebrannt, ich lindere nur ein wenig den Brand. Meine Tränen reichen nicht: Ich weine nicht genug. Ich kämpfe und strample in diesem Feuer. Gestatte mir als Branddecke, weil auf die Trauer ja kein Verlass ist, eine abstrakte Version des Glücklichseins, mein *Survival-Kit.* Die unbedingte Liebe als *Idee.* Gott.

Die glücklichen Momente, die in ihrer Intensität genauso brennend schmerzen wie die traurigen, mit denen sie verquickt sind.

[Gott?]

XLIV

In der S-Bahn quäle ich mich mit meiner Hypersensibilität, die sich verbündet mit all den Ist-Zuständen um mich herum: Der eine sticht sein Surren in mein Ohr [ich wechsle den Sitzplatz]. Die zweite riecht nach Pisse [ich stehe auf]. Der dritte glotzt [ich senke den Blick, widerwillig, denn es ist eine Niederlage]. Der vierte kaut unmäßig laut und schiebt sein Kaugummi vor die Zähne des schmatzenden Mundes. Die fünfte lackiert sich übelriechend die Nägel. Der sechste popelt, als wär er allein. Die neunte befehligt ihre bunten Spielfiguren auf dem Display, ein Zucken und Zappeln, das mir ins Auge pikt. Der zehnte hat die Tontasten eingeschaltet: jede Zahl ein penetrierendes Geräusch. Und dann noch das Kind, das auf seinem Kling-Klang-Dong-Gerät herum wischt, weil es gesagt bekam, es handle sich um ein Spiel.

Gerüche, Geräusche, Intimitäten, und meine dazu. Auch ich verwechsle den öffentlichen Raum mit dem privaten, feile mir am Bahnhof, auf den Pendelzug wartend, heimlich die Fingernägel, scheinbar „zeitsparend“ [eine lästige Pflegepflicht, das Nägelschneiden und Feilen, furchtbar langweilig]. Meine ganze traurige Bedürftigkeit reibt sich an der, der anderen.

Ich gewöhne mir an, Kapuzenpullis zu tragen, „Hoodies“, um mich gegen Bling-Bling abzuschirmen. Wenn jemand hustet, halte ich mir dezent ein Tuch vor den Mund.

XLV

Der Kollege, der über mir steht, prahlt. Er verdient gut und ist „angesehen“, aber das reicht ihm nicht. Er hat das Bedürfnis, seinen Wert aufzupumpen mit der Nähe zu „Höherstehenden“. Gern spricht er davon. Wie er in der ersten Reihe saß als geladener Gast mit Königin X und Bischof Y. Als *very important person,* umgeben von *very important persons,* die sich gegenseitig ihrer *very importance* versichern. Notwendig dafür ist, dass sie sich abheben von weniger *important* Personen. Dass es eine eigene Zone gibt für die *very importants.* Damit sie sicher sein können, zueinander, und zu sich selbst zu gehören: in dem Bereich, in dem die Medien die Kameras hin- und herschwenken, die Mikrofone vor Münder halten, in der Nähe der Bühne und der Kulisse, die ihrer *very importance* entspricht. Ein Schloss, eine Kirche, eine Plakatrückwand – *whatever.* Es ist immer Show, aber eine Show, die Tatsachen schafft und die einen von den andern absondert, unterscheidet, jenen höheren Wert zugesteht als diesen.

Ich beneide ihn – nicht um die Begegnung mit der Königin, sondern um die Möglichkeit, den eigenen Wert aufzupumpen. Außendoping der Selbstvergewisserung: *Ich zähle.* Nur deshalb wäre ich gern eine *very important person*, bin aber ungeeignet, weil ich mich in jeder Werkstatt, in jedem Kiosk wohler fühle als auf dem Smalltalk-Parkett und auch gar keine Klamotten dazu habe. Solche Sachen stehen mir nicht. Und ich sehe, wieviel Energie vergeudet wird im Bestreben, sich abzuheben, während man zugleich so tut, als läge einem *nichts* daran, sich abzuheben, als stehe man über den Dingen. Auch der Kollege bemüht sich um einen ironischen Ton, will sich den Anstrich der Bescheidenheit geben, als glaubte er an die Gleichheit aller vor Gott, während er danach strebt, mit aufs Foto zu kommen.

Jeder will sich abheben. Ich auch.

Meine zusätzliche Hybris besteht darin, dass ich die Bedingungen, die Kriterien für meine *very importance* mitbestimmen will. So wird aus mir keine VIP. Ich will etwas Besseres, noch mehr etwas Besonderes sein. Möchte gelobt und geliebt werden als besondere Frau. Geachtet und wahrgenommen. Das passiert nicht, jedenfalls fühlt es sich nicht so an. Selbst wenn es passiert, fühlt es sich nicht so an. Ich traue keiner Anerkennung. Ich suche den Haken. Komplimente sind mir eine begehrte Pein, um die ich mich auf keinen Fall bemühen darf. Bloß nicht zeigen, dass mir etwas daran liegt. Hybris. Sperre mich in Konkurrenzen, wie ich es von der Mutter gelernt habe. Konkurriere zwanghaft darum, die Bessere, Schönere, Sozialere, Fleißigere, Intelligentere, besser Eingeweihte zu sein – und bin es nie. Ich bin genauso besonders, schön, hässlich, unscheinbar, unsicher, verklemmt wie alle anderen. Das Konkurrieren fördert meinen Selbsthass, erschwert Begegnungen, denn so will ich nicht sein. Wie leicht wäre mein Gang ohne dieses Bedürfnis nach Besonderheit, nach besonderer Anerkennung, zu stolz darum zu kämpfen und zu dünkelhaft, sie zu beanspruchen. Wie komme ich überhaupt auf die Idee, dass ich etwas Besonderes sei, für besonders schwierige Aufgaben geschaffen? Ich langweile mich schnell, wenn es zu langsam geht, wenn ich unterfordert bin, keine Anregung bekomme – aber daraus kann ich vernünftigerweise nicht den Schluss ziehen, ich sei etwas Besonderes, sondern nur, dass ich besonders schnell gelangweilt bin.

Das Besonderssein[wollen]gefühl ist begleitet von einem mindestens so intensiven Gefühl der eigenen Minderwertigkeit oder vielmehr: der Bedingtheit des eigenen Wertes: Ich bin es nicht wert, wenn nicht... Ich bin nichts wert, wenn es mir nicht jemand sagt, bestätigt, bescheinigt, spiegelt.

Als müsste ich etwas Besonderes sein mit der Auflage, mich auf keinen Fall zu zeigen, nicht in Konkurrenz zu gehen [mit wem?], weil dann unweigerlich Beschämung droht, Demütigung folgt: ein unmögliches Ziel, ein zweckloses Streben.

XLVI

Manchmal denke ich, ich sei gewappnet für das Leben mit mir. Das ist dann ein guter Tag. Oft jedoch fühlt es sich so an, als wäre der Tod eine Erleichterung. Nicht vordergründig, nur als Gedanke, der kommt und geht. Der Tod des Anspruchs. Der Tod des Heldentums. [Wie lasse ich es sterben, ohne mich selbst zu töten? Ich vermeide die Antwort, indem ich mir Aufgaben stelle, eine nach der anderen, immer weiter. Ich weiche dem Leben aus, im Bestreben, ihm einen Sinn abzupressen, eine Bedeutung zuzumessen, die mehr wäre, die darüber hinausginge, über das, was „Leben" ist. Was ist Leben?]

Ich sitze keine Minute still [und bin heimlich noch stolz auf die Unruhe, die ich mit Leistungsbereitschaft verwechsle]. Ich versuche, fünf Sachen auf einmal zu schaffen, gleichzeitig alles in Zweifel zu ziehen, mich in Frage zu stellen, bin immer auf dem Sprung und werde nervös, wenn an einem ganzen Tag kein Termin wartet, keine Uhrzeit, auf die ich mich ausrichten kann, denn ich bin gehalten [von wem?], aus meinen

„Gaben“ *etwas* zu machen. Aus der Gabe der Besonderheit. Aus der Last der Talentiertheit. Aus der Nötigung der Intelligenz. Ohne Unterlass schreit es und drückt mich und schubst mich und zerrt an mir: *Mach was draus. Zeig, was du kannst! Lass dich sehen! Werde gesehen! Sei gütig! Sei gut! Tu etwas! Tu auf jeden Fall irgendetwas immerzu, um dein Dasein zu rechtfertigen. Mädchen, wenn du nichts tust, nicht irgendeinen Beweis herstellst, einen Gedanken denkst und notierst, einen Text schreibst, einen Kuchen backst, Ordnung in der Wohnung schaffst, Trost deinen Kindern spendest – wenn du nicht für irgendetwas und irgendjemanden nützlich bist, hat dein Dasein keine Rechtfertigung. Hat keine Bedeutung. Dein Leben. Darf nicht sein.*

So sind meine Tage voll und leer zugleich. So weiche ich meinem Brauchen aus, zerlege meine Angst in Tätigkeiten, beschwichtige sie mit Gewohnheiten, an denen ich festhalte wie an einem notwendigen Segen.

Wem schulde ich mein Leben?

XLVII

Nun, da die Kinder größer werden, komme ich in Bedrängnis – was soll ich dann noch? Als Ungebrauchte? Ist die Wahrheit, dass mir auf Erden nicht zu helfen ist? Wer Kinder hat, bringt sich nicht um. Die Knarre am Wannsee ist für mich keine Option. Ich werde mich nicht davonstehlen. Ich sehne mich zu gern. Ich liebe zu viel.

Ich glaube zu tief. Ich bleibe. Ich harre aus. Solange es mir bestimmt ist. So lange.

XLVIII

Ich erledige den Haushalt, mit schlechtem Gewissen, und schreibe, mit einer Art Anständigkeit. Mit dem Gefühl des richtigen Tuns. Dieses Gefühl ist selten. Schreiben ist mein Beten, mein Trauern, meine Art zu überleben. Zu leben. Meine Art, ich selbst zu sein: Schreiben und Singen. Doch Singen ist laut und verletzlich und verdächtig – Schreiben ist leise und versteckt [und verdächtig]. Schreiben ist Verrat, aber nicht an mir selbst. Schreiben ist Aufbruch. Schreiben ist nie aufgeben. Immer geben. Immer geben und nehmen. Schreiben ist Wahrnehmung. Schreiben ist Kopf und Bauch und nie einfach so. Nichts in meinem Leben ist einfach so. Mein Leben ist Arbeit. Ich liebe Arbeit.

So ernst ist es und so heiter. Mein kaputtes Heldentum ist heiter. In meinem Ohr jammert nichts. Wenn ich jammere, weine ich. Wenn ich weine, wenn ich mir leidtue, kann ich nicht schreiben. Wenn ich mir leidtue, bin ich allein. Wenn ich schreibe, bin ich nicht allein. Wenn ich schreibe, muss ich mich auf die Buchstaben konzentrieren, auf die Reise der Gedanken über die Tasten, auf den Flößen, die auf Gehirnströmen Schnellen ausweichen, oder mutwillig den Zusammenprall provozieren. Mut. Willig. Strom.

Schnellen. Strom. Schläge. Einsichten, die sich als Erkenntnisse ausgeben und dabei womöglich nicht mal Ansichten sind. Wortspiele, mögen sie passend sein, irgendetwas muss doch zusammenpassen, alles passt zusammen, nichts passt zu mir, nirgendwo passe ich *wirklich* hin, aber wenn ich schreibe, passe ich nicht nur auf. Wenn ich schreibe, bin ich anwesend und abwesend. Ich und Nicht-Ich.

XLIX

Den großen Worten gegenüber will ich skeptisch bleiben. Große Worte entfremden mich [mir] ein weiteres Mal. Oder drohen zumindest damit. „Dämonen" zum Beispiel. Welche Worte mir zu eigen sind, gilt es herauszufinden. [Welche Sprache schreibe ich. In welcher Sprache kann ich leben.]

Die meisten Seiten bleiben in meinem Kopf liegen oder knittern unlesbar in meinem Herzen. Viele Buchstaben, die ich bräuchte, gibt es nicht. Ich behelfe mich mit denen, die mir zur Verfügung stehen. Die muss ich mir gefügig machen, mich ihnen gleichzeitig unterwerfen, denken und nicht denken, loslassen und kontrollieren, lieben und Acht geben. Leidenschaft und Verhütung. Das Totale kann es nicht geben. Die totale Finsternis lässt sich so wenig denken wie die totale Helligkeit. Es gibt tausend, nein, unendlich viele Lichteinheiten dazwischen, die einander in rasender

Geschwindigkeit abwechseln. Schreiben mit Tunnelblick funktioniert nicht. Oder/und: Schreiben funktioniert nur mit Tunnelblick, die Hände an der Wand, tastend, die Sinne geschärft, die Schritte scheinbar fest, als wüssten sie, wo es lang geht, der Blick nach innen *und* nach draußen gerichtet. Der Tunnel existiert nicht, wenn ich schreibe. Ich überwinde ihn, jedes Mal. Wenn ich schreibe, fällt mir ein Stein vom Herzen, den ich eifrig wieder zurückrolle, damit er erneut fallen kann, oder was weiß denn ich, warum ich das tue. Was weiß ich denn. Nix.

L

Mein Magen ist klüger als mein Gehirn, meine Knie wissen mehr als meine Gedanken. Ausnahmsweise gehorche ich, mache keinen Frühsport, sondern höre sie sagen: *Wir wollen ausruhen. Wir brauchen eine Pause.* Normalerweise überhöre ich sie.

LI

Manchmal weiß ich nicht, nach dem Essen, ob ich satt bin. Weil ich tief drinnen hungrig bleibe. Weil das Fehlen dominiert. [Fehlen wovon? *Mein* Fehlen?]

LII

Seit Monaten bewerbe ich mich, weil ich mich auf der Arbeit nicht gebraucht fühle. Und weil ich kaputt bin. Zur Ärztin habe ich mich noch nicht getraut, weil ich stark sein muss, weil schwach, kaputt, erschöpft nur die anderen sein dürfen. Meine Eltern, mit denen ich diesen Text begonnen habe, haben mir das beigebracht, aber nicht nur sie.

Die Landschaft wackelt jetzt manchmal, wenn ich im Zug sitze, obwohl er noch gar nicht fährt. Ich sitze gern in einem bald abfahrenden Zug, aber es ist mir unheimlich, wenn ich meinen Augen nicht trauen kann. Ich traue mir nicht. Ich fühle mich erschöpft, mein Körper teilt es mir mit, und meine Seele weint, weil ich nicht höre. Ich habe gelernt, ihr nicht *trauen* zu dürfen. Es wäre illoyal. Meiner Mutter gegenüber, meinem Vater, all dem Leistungsgerassel, das mir in den Ohren klirrt. Illoyal, weil ich nicht brauchen darf, wenn so viel Brauchen um mich herum schwingt, mich auffordert, da zu sein. Für das Brauchende um mich herum. Für das andere Brauchen darf ich sein. Dem anderen Brauchen ist in jedem Fall zu trauen, bedingungslos, mir selbst jedoch, meinem eigenen Brauchen nicht, ich käme in Teufels Küche.

Wie sieht es in Teufels Küche aus?

Teuflisch ist es.

LIII

Ich verabscheue es, wenn jemand durch mich hindurchsieht, mich nicht wahrnimmt, während ich so intensiv wahrnehme [auch das ist falsch, es ist nur ein Bild, eine Ungerechtigkeit]. Zum Beispiel in einem Club, der Ton-Mann gefällt mir – und sieht mich nicht. Ich gucke und gucke und er merkt es nicht. Mir gefallen oft die, die trinken. Die rauchen. Die suchen und brauchen.

Ich stehe da und nehme wahr und möchte gleichzeitig unsichtbar sein in meinem Brauchen und doch gesehen werden in meiner Einmaligkeit. In meiner Besonderheit. Möchte mich hervortun und bin zu feige dazu. Gehe verdruckst und schäme mich. Ich wäre gern ein besserer Mensch, oder einfach *gut*. Das gelingt mir nicht, das Bemühen reibt mich auf, denn mein Daseindürfen steht auch unter dieser Bedingung: das Richtige zu tun oder jedenfalls zu versuchen.

Ich weiß genau, in jeder Sekunde, dass es nicht stimmt. Dass ich alles andere als grandios bin, dass ich klein und schwach und dünnhäutig und fehlerhaft bin. *Voll* von Fehlern. Das einzige Grandiose an mir, vielleicht, ist das Wissen um die Unfähigkeit zur Grandiosität. Also läppische Versuche, mich hervorzutun. Entdeckt zu werden.

Niemand entdeckt mich.

LIV

Für wen schreibe ich dies?

LV

Meine Eltern wussten es auch nicht besser. Kaum jemand weiß es besser. Ich würde gern etwas anderes schreiben, aber erst muss dies geschrieben werden, und ich nehme mir die Freiheit, dabei zu ächzen und zu stöhnen. Es sind schwere Steine, und sie stecken fest. Es hat, so viel ist mir zumindest bewusst, wenn auch nicht im Herzen, niemand das Recht oder auch nur die Veranlassung, über mich zu urteilen. Auch nicht über diese Zeilen. Nur ich selbst hätte [eventuell] das Recht dazu, doch ich bin mir nicht sicher. [Und wozu soll es überhaupt gut sein, dieses unablässige Urteilen? Welches Vergehen hat es gegeben? Wem ist was vorzuwerfen? Wer sollte darüber befinden und Bescheid wissen?]

LVI

Ich grüble und verheddere mich in meiner Unzufriedenheit, auf der Arbeit nicht das zu tun, für das ich geschaffen bin [lieben und schreiben], weil ich eine Heidenangst habe, eben dies zu wagen [lieben und schreiben], existenzielle Angst. Geld, ja. Geld ist auch ein Punkt. Aber da ist noch ein anderer Abgrund, den ich fürchte. Ich habe Höhenangst. Ohne Liebe leben, daran gewöhnt man sich vielleicht, aber nicht gebraucht zu werden, wäre Folter. [Warum? Vielleicht ist es gar nicht so schlimm? Vielleicht werde ich derweil ganz anders, von anderen, auf andere Art gebraucht? Vielleicht habe ich in Wahrheit keine Ahnung, weil auch dies mit Glauben zu tun hat?]

Meine Gefühle sind sehr langsam. Denken hilft ihnen nicht. Ich bemühe mich, mein Denken auf dieselbe Geschwindigkeit zu bringen wie meine Gefühle. Ich weiß nicht, wie ich das machen soll. Mir kommt es so vor, als hätte ich die meiste Zeit das Umgekehrte versucht.

LVII

Ich nehme mein Scheitern persönlich, nehme alles persönlich, was mir widerfährt, und was ich mir widerfahren lasse. Auch: dass ich nicht passe. Nehme ich mir persönlich.

LVIII

Der inneren Leistungsgesellschaft bleibe ich unterworfen. In mir herrscht Sorge und Kampf. Der Leistungsdruck ist meine Muttersprache, die ständige Leistungsbereitschaft mein Vaterland. Es geht jetzt darum, nicht vor der Zeit daran zugrunde zu gehen, um der Kinder willen.

In mir stecken Buchstaben, die aufs Papier streben. Um ihrer selbst willen. Sie müssen es nicht verdienen – ich muss sie nur schreiben.

LIX

„Sie können nicht tiefer fallen als in Gottes Hand“, zitiert der Pater.

Ich habe trotzdem Angst zu fallen. Denn wie tief ist Gottes Hand? Wie fühlt es sich darin an? Bin ich nicht längst darin, liege aufgefangen rücklings in Gottes Geborgenheit, nach Luft schnappend von der Anstrengung, mich nicht fallen zu lassen? Auch Glauben kann anstrengend sein, fordernd.

LX

Ich bräuchte eine Arbeit, bei der ich in Ruhe behindert sein kann.

LXI

Dinge gehen zu Ende. Ich habe den Faden verloren. Ich habe gekündigt. Fülle Dinge in Worte.

Wie fang ich nun an – und was? 50 Bewerbungen, 50 Absagen. FürIhrenweiterenWegwünschenwirallesGute – gar nichts wünschen sie. Sie sehen: Die Frau ist alt. Sie glauben, dass sie etwas Junges brauchen. Sie legen meine Bewerbung zum alten Eisen. Ich breche ein ins Ungewisse, lösche Daten, die ich nicht mehr brauche, weil die alte Arbeit, die nun zu Ende geht, mich nicht mehr braucht.

Was habe ich dort geleistet?

Es hätte so viel mehr sein können!

Warum mache ich vorzeitig Schluss? Fürchte ich, dass man mir auf die Schliche kommt, dass nach fast zwei Jahren irgendwann bemerkt wird, was mir längst klar ist: Die Frau ist eine Hochstaplerin, die Frau langweilt sich, die Frau beugt sich nur vor Gott, vor keinem Chef und System? Ich gehöre nicht dazu. Brauch ich's, vielleicht, aber so tut's auch weh.

Noch nie war ich „arbeitslos".

Habe ich nicht mehr gelernt, als den Worten auf den Grund zu fallen, auch wenn keiner schaut, wie ich da gehe, brunnentief, in Josefsohnmacht Buchstaben werfend wie Rettungsringe nach mir selbst? Ich schaue mir dabei zu. Manchmal fange ich auch.

Aber was ich gewohnt bin, ist scheitern, da kenne ich mich aus, da bin ich Expertin. Dieses Scheitern ist größer als jede Kündigung.

LXII

Ich kaue auf Geschichten. Ich kau sie in mein Herz. Ich kaue und kaue. Halte mich fern von rasierten Augen, Stöpseln im Kopf und giftigen Ohren. Beiße auf knittrigen Zetteln, die zappeln im Gespräch. Schiebe sie von einer Wangentasche in die andere. Verschlucke, lache, huste und höre Gesundheit. Oder Schweigen. Ich kaue und kaue. Die Welt bleibt ergebnislos, das Kauen mal leiser. Manchmal schmatze ich, wenn niemand zu hören ist: eine Fügung. Dann könnte die Sonne aufgehen, als hätte sie Drogen genommen oder Wild gegessen. Sie könnte strahlen über neuen Sternen und alles, was war, tatsächlich vergessen lassen: dass wir nichts als Menschen sind. Kreaturen. Tiere. Nichts als Lebewesen mit mehr oder weniger Saat. Einsam. *Frei.* Vermittelt. Sinnlos wie die Sehnsucht. Hungrig wie die Gier. Hyperaktiv. Im Grunde hypotaktisch. Schutzbedürftig. Mit steifen Knien um Vergebung bettelnd. Was verheißt die Nacht?

Wüsste ich, könnte ich nicht schreiben. Wenn Verkaufen meine Finger rührte, meine Gedanken leitete, stünde mein Weltkauen still. Es würde der Buchstabe zu Kot, zu Sünde, einzutüten, zu vernichten. Effizienz amputiert, kappt jedes Segel, nimmt jedem Wind den Atem, zerstört. Jedes Wort kaue ich ungerichtet.

Sobald ich anfange, „zielgruppenorientiert" zu schreiben, auch wenn ich selbst die „Zielgruppe" bin, wie es wohl hierbei der Fall ist, langweile ich mich. Meine Buchstaben dürfen sich nicht um *Zielgruppen* scheren, ob eine Erwartung erfüllt oder nicht erfüllt oder gar ignoriert ist – all das darf nicht interessieren. Darum mögen sich andere sorgen. Dafür gibt es genug anderes künftiges Altpapier, Altgedanken, Altgefühle. Ich habe nichts zu protokollieren, muss mich keiner Vollständigkeits- oder Rechtfertigungs- oder auch nur Rechtschaffenheitspflicht unterwerfen. Im Gegenteil: Die einzige Pflicht, die hierbei wichtig ist, ist die Verpflichtung gegenüber den Buchstaben in meinem Kopf, Elemente, die diese oder jene möglichen, wahrscheinlichen, unmöglichen Verbindungen eingehen: Nur sie sind das Material, das zugleich „Zielgruppe" ist. 26 Zielgruppen, mit denen ich ziele, werfe und nicht weiß [vielleicht nicht wissen darf], wonach, welche Büchsen, welche Hasen, welche Jäger ich treffen muss, denn sonst – irren sie ab. Ins Allgemeine. Ins Gewollte. Ins Gewohnte. Ins Verbriefte. Ins Verkehrte. Und treffen nicht. Das Verkehrte ist ja das, was sich als einzig mögliches Richtiges so glaubwürdig ausgibt, dass ich ihm jederzeit auf den Leim gehen kann.

Das Verkehrte ist die Welt, in der von *Zielgruppen, Effizienz, Verkaufen, Marktanteilen, Kompetenzen, Leistungssteigerung, Gewinnmarge, Darstellung* und all dem Übelkeit erregenden Zeug gesprochen wird. Das Verkehrte ist die Welt, der sich die Lettern und Gedanken nicht unterwerfen dürfen.

Es ist ein Spießrutenlauf und ich habe keine Ahnung, wo er hinführt.

LXIII

Meine studierende Tochter schickt mir eine Kurznachricht [sie lernt für eine Klausur, die angeblich nichts mit Ökonomie, sondern mit Bildung und Erziehung zu tun hat]: „Leistungsmotivation ist eine multiplikative Verknüpfung der Erwartungskomponente."

Ich schreibe zurück: „Oha!" Und ergänze um eine großkotzige Kapitalismuskritik, weil wir uns einig sind, dass der Kapitalismus nur eine

Chance, nur eine *Berechtigung* hat, wenn er kritisiert wird: „Leistungssteigerung ist eine multiplikative Ausnutzung der Erwartungsdingsda mit dem Effekt multiplizierter Seelenverarmung bei steigendem Meeresspiegel, Flüchtlings'strom' und Kapital."

Die Tochter: „Echt schlimmer Unsinn, den ich gerade lerne. Naja, wer erfolgreich sein will, muss leiden."

LXIV

Als Teenager habe ich Zeilen gereimt und mit einer Melodie versehen. Sang in meinem Zimmer zur Gitarre. Nur für mich. Für die ganze Welt. Später tat ich das auch wieder, aber da dachte ich nicht mehr, es habe einen Wert. Als Teenager hatte mein Schreiben, hatten meine Lieder, hatte mein Gesang einen Wert. Einfach so – für sich, für mich. Klang. Ich hatte nicht das Bedürfnis, jemandem etwas davon zu zeigen – im Gegenteil, das hätte mich zutiefst verunsichert. Es ging mir um das Schreiben, um das Singen als solches. Ich konnte nur richtig schön singen, wenn ich allein war. Das ist heute noch so: Wenn keine Gefahr droht.

Seit wann halte ich meine Erzeugnisse, meine Tätigkeiten nur noch dann für bedeutsam, wenn sie ein anderer anerkennend [oder erstmal überhaupt] zur Kenntnis nimmt?

Ich habe einem „namhaften“ deutschen Lyriker geschrieben, der in einer renommierten Literaturzeitschrift veröffentlicht, in Jurys und Akademien sitzt. Seine Texte erscheinen mir okay, aber nicht genial, und so bin ich ermutigt, mich an ihn um Ermutigung zu wenden. Am meisten liegt mir ein Anklagelied am Herzen, rhythmisch, sehr persönlich. Ob es Befindlichkeitslyrik sei, also Schrott, frage ich, anschreibend.

Seine Begutachtung liegt wenige Tage später im Briefkasten: Ausgerechnet dieses Lied, eine Art Psalm, hätte ihm „mit Abstand“ den größten Eindruck gemacht, aber er könne mich weder ermutigen noch einen Verlag oder eine Veröffentlichung vermitteln. Bleibt auf Distanz, bittet um „Verständnis“, dass er es „bei dieser einen Begutachtung bewenden lassen muss“.

Seine wenigen Anstreichungen sind für mich hilfreich und akzeptabel. Was er schreibt, kann ich annehmen und hätte ich selbst schreiben können, begutachtend, doch er schreibt wie ein Lehrer zu einer Schülerin, ohne doch die Lehrerschaft annehmen zu wollen. Er will keinen weiteren Kontakt und fragt nicht nach weiteren Texten. Ist es dieses Desinteresse, das ich, wieder mal, provozieren wollte, um mir selbst zu beweisen, dass ich es nicht wert bin, dass sich jemand mit meinen Sachen [mit mir] beschäftigt? Warum tue ich mir mit wildfremden Menschen weh? Denn auch wenn ich, beinahe gleichmütig, seinen kurzen Brief lese, erstaunt und erleichtert, dass zumindest kein Todesurteil darin steht, und doch traurig, dass eben auch nicht die heimlich erhoffte Aufnahme in die heilige Halle der anerkannten Schreibenden erfolgt, die Zugehörigkeit zu seinesgleichen verweigert wird – auch wenn ich diese Verweigerung herbeigeschrieben habe wie ein vertrautes Gefühl, zuckt mein Magen nur sachte, schlägt mein Herz nicht schneller.

Ich habe nichts anderes erwartet [nur gehofft]. Ich bin es gewohnt, bin abgehärtet und gebe doch die Hoffnung nicht auf, dass jemand meine negative Hoffnung enttäuscht und mich als zugehörig entlarvt.

Meine Texte, anders als früher, schreien danach, gelesen zu werden. Es sind Geborene, die gehört werden müssen, sonst sterben sie. Sie sterben. Sie sind meine anderen Kinder, die ich und an denen ich mich erzogen habe und ständig weiter erziehe. In ihnen steckt meine Kraft, meine Schöpfung, in sie lege ich meine Seele, mein Herz. Sie wollen laufen und dürfen's nicht. Es gibt keinen Laufsteg für sie. Ich finde ihn nicht.

„Self-Publishing" muss ich schon deshalb verwerfen, weil ich so ein Wort nicht kann. Mich verkaufen, anpreisen, brüllen, da draußen. Ein totaler Widerspruch zum Schreiben: Werben. Ich finde, das müssen andere erledigen. Sonst ist es nichts wert.

LXV

Erschöpfung. Vom Nichtschreiben und vom Schreiben, vom Fürchten. Ich fürchte mich bis zur Erschöpfung. Zwischendurch gelingt mir, was mir seit Jahren nicht gelang: Mehr als minutenlang Zeitung lesen, am Küchentisch sitzen, in den Kräutern zupfen, die ich auf dem Schattenbalkon gepflanzt, mir morgens ins Müsli schnippe.

Ich bin dick, mein Bauch, meine Mitte ist dick geworden. Die nahenden „Wechseljahre" machen dick, vielleicht. Ich stehe vor dem Spiegel und sehe mein Fett. Versuchsweise sage ich: „Ich bin dick. Aber ich bin nicht hässlich. Ich bin schön." Das dritte glaube ich mir nicht.

Ich bin vom Hungrigsein dick geworden. Von der Verschiebung des Schönen, des Guten, des Leckeren auf eine Zeit, die nie eintritt. Weil es nur jeweils einmal *Jetzt* gibt. Weil ich mich selbst verarsche.

Das Dicksein und das Dickwerden, jederzeit möglich, in jedem Appetit drohend, machen mir eine schlimme Angst. Denn wenn mein Körper der Schlanknorm nicht entspricht, falle ich raus. Bin nicht. Leiste ich nicht genug. Mein Körper ist das Hauptschlachtfeld meiner inneren Leistungsgesellschaft. Ich zähle nicht mehr Kalorien, aber Freuden. Manchmal esse ich ganz schnell, damit das gefährliche, tendenziell böse Essen und Wollen, der Hunger, der mich bedroht, bald vorbei ist. Nie genug. Ich übe, es ist schwer. Ich darf nicht satt sein. Wenn ich satt bin, bin ich tot.

Als bräuchte ich die Not.

LXVI

Keiner weiß, wie es um mein inneres Schlachtfeld bestellt ist. Ich fürchte das Essen und das Nichtessen. Ich fürchte mich. Ich fürchte die hässlichen Stimmen, die mir abverlangen, scheinbar wohlwollend, ich müsse *unter allen Umständen die Kontrolle behalten*. Einst lernte ich, „bewusster" zu essen. Verlernte, einfach hungrig zu sein oder Appetit zu haben. Da war ich 15 und las „Vollwertkost"-Bücher und schaffte bald die ersten fünf Tage Fasten. Machte mir vor, dass ich alles glaubte, was in dem Fastenbuch steht, und dass ich keinen Hunger hätte. Ich hatte Hunger! Ich habe immer Hunger! Nicht unbedingt auf Essen. Aber auf Essendürfen.

Ich schäme mich für die Stimmen und die Kontrolle, denn ich wäre gern frei. „Normal". Ich fürchte mich davor, dass mich jemand erwischt, mich bewertet, mein Verhalten, mein Aussehen, meine Gedanken [wer?].

Als ich begann, Frau zu werden, schaute mich einer der homosexuellen Freunde meiner Mutter latent aggressiv an und sagte: „Jetzt siehst du nicht mehr aus wie ein Junge. Das Knabenhafte ist vorbei. Schade." Den Stich trage ich durchs

Leben, kratze ihn immer wieder auf und wund und steche mich damit, erinnernd, jeden Tag: Ich bin eine Frau und *deshalb* nicht [mehr] schön. Nicht mehr knabenhaft. Nicht mehr wenig, klein, dünn, leicht, sondern kräftig, schwer, zu viel, rund. Sichtbar.

Nur als ich schwanger war, schien mein Frausein okay: Es war die Voraussetzung für die Schaffung von unermesslichem Wert. Kinder. Ich aß weiter kontrolliert und möglichst wenig, aber ich wurde rund und schön schwanger. Als es um das Kind ging, durfte ich Frau sein, durfte sogar Essen brauchen und darauf achten, dass ich genug bekomme, damit das bedürftige Kind in mir genug hätte. Es galt, einen anderen Menschen zu versorgen. Meine eigene Versorgung zählte weniger. Ich habe gelernt, für mich zu sorgen, aber ich zähle in meinen Augen nicht vollwertig, zähle mich nicht vollwertig mit. Nur als um-zu bin ich mir genehm.

Ich zöge vor, so einen Scheiß nicht zu schreiben, aber er liegt da. Ist so. Scheiße muss Scheiße geschrieben werden.

Mein Körper versteht nicht, dass in mir eine andere wächst. Eine Frau, die sein darf. Doch: Mein Körper versteht das. Aber ich – wer? – nicht. Ich verstehe mich nicht.

Ich habe wenig Verständnis für mich.

LXVII

Die Gelenkschmerzen sind schlimmer. Achillessehne, Knie, kann fast nicht mehr joggen. Sogar beim Schwimmen tut es weh. Gehen geht, aber Gehen hilft nicht gegen Kopfschmerzen. Gegen Kopfschmerzen hilft nur, mindestens 20 Minuten locker zu laufen, mindestens dreimal die Woche. Danach Dehnen, Muskeltraining, Übungen. 40 bis 60 Minuten Bewegung jeden Tag müssen sein. Schwimmen, Joggen, Trampolin springen, etwas Yoga, Pilates… Die Bewegung, die frische Luft, der Versuch, einige Minuten zu meditieren, wenn alles getan ist, hellen meine Seele auf. Mit Gelenkschmerzen kostet das tägliche Bewegungspensum, das mir sonst Freude macht und mich erdet, Überwindung. Von 40 Minuten Laufen sind zehn Minuten noch möglich. Es tut weh. Auch die Kopfschmerzen verschlimmern sich.

In der Zeitung lese ich, dass Ayurveda bei Gelenkschmerzen und auch sonst allen Leiden helfen kann. Kurzentschlossen buche ich per Internet eine „Panchakarma light“-Kurzkur. Andere Ernährung, ölige Massagen, fünf Tage und Nächte in einem Wellness-Dorf südlich der Lüneburger Heide, etwa 50 Kilometer vom Wohnort meiner Mutter entfernt.

So viel Geld habe ich noch nie für mich allein, für einen „Urlaub“ – immer noch ein fremdes Wort für mich – ausgegeben.

Ich brauche dringend „Urlaub“.
Fühle mich mutig.

3 Heiler

Es gibt die Versuchung – immer –
glücklich zu sein

John Burnside

LXVIII

Eine Bekannte fragt, wie ich Ayurveda und Yoga mit meinem christlichen Glauben vereinbaren könne. Ich verstehe weder ihre Frage noch ihre Missbilligung.

LXIX

Ich packe meinen Laptop ein, damit ich während der „Kur“ schreiben kann. Ich habe Angst vor Langeweile, und dort erwartet mich nichts außer Felder und Straßen. Und ein Heilpraktiker.

Ich fahre frühmorgens los mit dem Rad und der Bahn. Auf dem Umsteigebahnhof Magdeburg „fällt der Zug aus“ [interessante Metapher]. Ich warte zwei Stunden auf den nächsten.

Ankunft Zielbahnhof Schnega 12:30. Heiß und schwül. Vor mir liegen 37 Kilometer bis zum Kurort, eine Unfreundlichkeit zu meinen entzündeten Gelenken, aber ich hoffe auf das Panchakarmawunder. Jahre der Schmerzen sollen in fünf Tagen verschwinden. Eigentlich weiß ich, dass das nicht sein kann, aber die Hoffnung auf einen

Anfang vom Ende der Schmerzen klammert sich an mich. Ich schnüre meinen Rucksack aufs Rad und fahre los. Es ist heiß. Meine Füße werden später an den Nicht-Sandalenstellen Farbe bekommen haben. Es fiele leichter, wenn ich nicht solche Kopfschmerzen hätte.

Es ist eine wunderschöne Tour, auf und ab, Felder und Sonne und Wind und Duft, aber meine Sehnen brennen. Ich flehe zum Himmel, es möge nicht so viel bergauf gehen, danke Gott für den Rückenwind, und dass es weder regnet noch durchgehend sonnenbrennt. Und dass die rechte Achillessehne nicht plötzlich ZACK macht, reißt, den Dienst verweigert.

LXX

Ich komme im „Wellness-Dorf" an, knallrot im Gesicht. Die Frau am Empfang wirkt streng und ist schwer zu verstehen, weil sie schwäbelt. Ich ziehe norddeutsche Dialekte vor. Bayerisch und Wienerisch mag ich auch. Schwäbisch nicht. Panchakarma sei ein „straffes Programm". Ich dürfe kein Wasser aus dem Hahn trinken, sondern müsse das abgekochte Wasser einnehmen. Und geklärte Butter (Ghee), so viel wie möglich, im Zimmer stehe ein Glas bereit. Es gehe um „Entschlacken", „Entsäuern", „Entgiften". Den Körper „neutralisieren". Dazu gehöre es, weniger zu essen. Und viel Suppe.

Was habe ich mir angetan.

Das Zimmer liegt ebenerdig, mit kleiner Terrasse und Blick ins Grüne, helles Holz, geräumig, kein Fernseher, kein W-LAN. Zu hören: zwei einander kreuzende Bundesstraßen. Aber auch: Windesrauschen, Vögel, fliegende Viecher. Hängematte vor der Terrassentür, Liegestuhl, breites Doppelbett, knarrender Schrank. Am Eingang des Hauses steht „Willkommen zu Hause“. Mein Grummel-Ich krittelt „unpräzise“.

Die geklärte Butter auf dem Tisch sieht selbstgemacht aus. Ich solle immer einen Löffel nehmen, wenn ich Hunger hätte. Und Öl durch die Zähne ziehen morgens, vor dem Zähneputzen. Eine Angstwelle überschwemmt mich.

Die Frau schenkt mir heißes Wasser in die bereit stehende Tasse. Sie will mich gleich durchs ganze Wellness-Dorf führen, aber ich möchte zuerst auspacken. „Mich einrichten“, sage ich, und wundere mich über meine Worte. Als sie draußen ist, trinke ich Wasser aus dem Hahn, drei Zahnputzgläser. Dusche. Es dauert Stunden, bis mein Gesicht nicht mehr so rot ist.

Heißes Wasser als Getränk tut mir gut. Oft will mein Körper keinen Tee, sondern einfach heißes Wasser. Er sagt es mir. Meistens spüre ich ganz gut, was er will. Aber oft missachte ich ihn. Gehe joggen, obwohl es weh tut. Hample herum, obwohl ich Ruhe brauche. Tippe am Laptop, obwohl die Handgelenke schmerzen. Esse weniger, als ich brauche, oder mehr, oder schneller, oder anderes, als gut wäre. Ich missachte meinen Körper, weil ich gelernt habe, ihn kontrollieren zu müssen, um mich nicht zu verlieren. Mit der Kontrolle vergewissere ich mich, dass ich alles im Griff habe, balle Hände und Füße, beiße die Zähne zusammen. Lasse nie locker. Nie. Weil ich mich für klüger halte als meinen Körper, obwohl ich weiß: Das ist fast immer ein Irrtum.

LXXI

Die Frau führt mich durch das Dorf. Zeigt mir die Sauna, den „Schwimmteich". Den Yoga-Raum. Ein Leih-Bademantel kostet fünf Euro. Ich habe schlimme Kopfschmerzen.

Edda erklärt: Im Ayurveda isst man dreimal täglich warm, zu festgelegten Zeiten. Zwischendurch möglichst nichts. Keinen Salat und auch sonst keine Rohkost abends. Sie sei auch Kosmetikerin, falls ich eine „Anwendung dazu buchen" wolle… Will ich nicht. Ich möge mein Namensschild an einen Platz im „Restaurant" stellen. Zwischen 18 und 19 Uhr gebe es Abendessen.

LXXII

Schlimmes Kopfweh.

Es ist 18 Uhr. Ich gehe ins „Restaurant".

Auf dem Tisch drei Gewürzpfeffersorten, die fast gleich aussehen, nur der Grauton differiert, darauf steht „Vata", „Pitta", „Kapha". Das sind die drei Doshas, also Typen des Ayurveda. Das Namensschild, eine gelbe, linierte DIN-A7-Karteikarte, weist nicht nur meinen Namen, sondern auch ein gestanztes Muster auf: Delphin mit Schwalbe. Ich linse bei den anderen: Auch sie haben ein Stanzmuster, jede ein anderes. Wie die Delikatesse im Kleinen mit dem Unperfekten harmoniert, gefällt mir. Ich fühle mich etwas wohler.

Im Restaurant sitzen außer mir zehn Frauen, zwei sehr jung, und ein Mann. Ruhige Leute.

Den Aperitif zur Begrüßung [Saftmischung ohne Alkohol] bekomme ich nicht wegen der Kur. Das schmeckt mir nicht. Die Suppe schon. Mit Kokosmilch, Lauch und Kartoffel. Ich mische Vata- und Pittapulver dran. Vata-Pulver schmeckt nach Curry, das Pittapulver undefinierbar, etwas zickig. Pitta ist Feuer, glaub ich, Vata Wind. Jahrtausendealte Weisheit? Oder Schnickschnack?

Der Hauptgang: Reis, Chutney, Fenchel-Gemüse. Ölig und köstlich. Ich kann mich nicht erinnern, wann ich zuletzt ein Mittag- oder Abendessen ohne Rohkost hatte.

All das heiße Wasser in meinem Körper lässt mich viel schwitzen. Mein Gesicht fühlt sich immer noch heiß an. Das Kopfweh wird heftiger. Offenbar nähere ich mich der Menstruation. Alle Klamotten sehen doof aus. Ich sehe zu sehr nach mir aus. So, wie ich nun mal bin. Maßlos. Freizügig. Sinnlich. Kräftig. Der Körper bestreikt meine Kontrolle, bricht aus, schert sich nicht um meine maßvollen Essgewohnheiten, wird rund, wie es sich für die Wechseljahre gehört.

Die Frau bringt mir zwei Kannen heißes Wasser fürs Zimmer, fragt, ob ich ein Kissen brauche. Sie ist sehr aufmerksam. Ich kaue Kaugummi zum Nachtisch. Ist Kaugummikauen erlaubt im Rahmen von „Entschlackung, Entgiftung, Neutralisierung"? Seit ich vor 14 Jahren aufgehört habe mit Rauchen, bin ich kaugummisüchtig.

Das Kopfweh wird zur Migräne. Wahrscheinlich habe ich mehr Angst, als ich merke.

Eigentlich wollte ich mich erholen. Was heißt das eigentlich? Mich wiederholen? Woher? Und wie soll ich das in fünf Tagen *schaffen*? Ich bräuchte Wochen dafür, im Grunde Jahre, mein ganzes Leben bräuchte ich dafür.

LXXIII

Nach dem Aufwachen, einen unguten Traum sofort vergessend, lese ich in Marcuses „Versuch über Befreiung" von 1969. Vor dem Aufstehen lesen mache ich sonst nie. In dem Buch sind Bleistift-Notizen von mir, der Studentin, die es 1991 – wo eigentlich? – fand und las. Als der Essay erschien, war ich kaum ein Jahr auf der Welt. Marcuse schreibt nichts als Variationen der Wahrheit: „Diese Gesellschaft ist insofern obszön, als sie einen erstickenden Überfluß an Waren produziert und schamlos zur Schau stellt, während sie draußen ihre Opfer der Lebenschancen beraubt; obszön, weil sie sich und ihre Mülleimer vollstopft, während sie die kärglichen Nahrungsmittel in den Gebieten ihrer Aggression vergiftet und niederbrennt; obszön in den Worten und dem Lächeln ihrer Politiker und Unterhalter; in ihren Gebeten, ihrer Ignoranz und in der Weisheit ihrer ausgehaltenen Intellektuellen."[3]

Ja. Und ich sitze hier obszön als Profiteurin des „korporativen" [oder auch „organisierten"] Kapitalismus, weil ich aus mir selbst unerfindlichen Gründen das Geld für diese Minikur berappen konnte. Noch bin ich angestellt.

Im Zimmer gibt es eine breite, nach Gift stinkende rote Gymnastik-Matte, auch Hanteln liegen bereit und ein Räucherstäbchen mit Streichhölzern. Auf dem Tisch steht ein offenbar aus dem Garten gepflückter Mini-Blumenstrauß, an der gelben Wand ist eine Sonne. Die Wand ist absichtlich unregelmäßig gestrichen, mal mehr, mal weniger Gelb, auch ein paar Rottöne. Wirkt beruhigend. Über dem Bett hängt ein Ölbild, Blautöne mit Weiß, sieht aus wie Büsche mit Disteln und Bäumen vor einem wässrigen Himmel. Wuchtig. Auf dem Fensterbrett liegt ein Flyer über die Kunst: „Die Arbeiten sind geprägt

---

[3] Herbert Marcuse, "Versuch über die Befreiung", Frankfurt/Main 1969, S. 21.

von Anmut, Exotik und einer eigenen imposanten Art der Ästhetik. Sie sind präsent, lautstark und optimistisch, was seinem Werk die unverwechselbare Persönlichkeit gibt." Marcuse würde wohl „affirmativ" dazu sagen. Welcher Teufel hat mich geritten, den altehrwürdigen Suhrkamp-Band mitzunehmen?

Ich mache Früh-Yoga und Gymnastikübungen. Versuche, zu meditieren, aber die Gedanken wollen nicht schweigen.

Frühstückszeit ist von acht bis zehn Uhr. Köstlicher warmer Dinkelbrei mit Trockenfrüchten und mitgedünsteten Trauben. Dazu Ghee und Kokosstreusel nach Belieben. Ich bin sehr satt.

Die Sonne scheint in die feuchte Luft, die sich langsam erhitzt. Die Bundesstraße stört nicht mehr, sondern besänftigt meinen Angstball im Bauch, weil sie hörbar macht, dass das Leben [laut] weitergeht. Jenes Leben in jenem Kapitalismus, dem ich verhaftet bin wie alle Welt. Der unsere Lebensgrundlagen zerstört und uns Menschen, unserer Moral und unsere Liebe beraubt. Auch unserer Liebe? Auch unserer Liebe. Jede „Dating-Plattform", jeder Marktplatz für Singles zeugt davon. Alles wird Ware. Auch diese Kur ist eine Ware.

LXXIV

Nach dem Frühstück, steht ein Termin mit dem Heilpraktiker an. Er tut tatsächlich all das, was ich, Tochter einer Ärztin, nur mit großer, wenn auch hoffnungsvoller, Skepsis betrachten kann: Irisdiagnose [mit einem mikroskopähnlichen Gerät], Zunge angucken [belegt], Pulsdiagnose [„Sie sind Pitta-Vata, ein bisschen Kapha, aber dominant ist im Moment Pitta"].

Er leiht mir ein Ayurveda-Kochbuch und gibt mir einen Meditationstext. Mit dem Buch kann ich mich schon während meines Aufenthaltes hier verrückt machen, was ich eigentlich alles nicht essen sollte [Joghurt, saure Früchte, alles Saure und Scharfe], falls ich mich entscheide, Ayurveda gut zu finden. Der Theorietext im Buch widerspricht sich.

Nach dem Gespräch folgt eine Ölmassage von Kopf bis Fuß. Mein Nacken, meine Sehnen und Knie tun weh. Es ist merkwürdig, nur mit einem dürren „Einmalslip" bekleidet und von einem Laken bedeckt, auf einer mit orangefarbenem Plastik bezogenen Liege zu liegen. Weil ich so lange auf dem Rücken liege, tun mir nun auch noch die Schulterblätter weh. Ich überlege, ob ich das sage, entscheide mich dagegen. Mir wird klar, dass ich mich für meine Schmerzen schäme. [Warum ist das so?]

Dann hocke ich 15 Minuten in einem Schwitzstuhl und ertrage Hitze um mich, bei der ich mir nicht sicher bin, ob ich sie mag. Ohne Brille schaue ich, wie der Mann saubermacht: Die Liege beträufelt er mit einem konventionellen Spülmittel, dessen Geruch mich stört. Wischt alles mit einem Handtuch trocken. Ohne Wasser. Darauf werde ich morgen Vormittag wieder liegen. Und übermorgen auch. Eine klebrige, beinahe giftige Vorstellung.

Statt zu „ruhen", wie es eigentlich vorgesehen ist, schickt der Mann mich nach dem Schwitzstuhl zum Mittagessen, das nur bis 13 Uhr ausgegeben werde. Wieder lecker, Reis, Mung-Dal [linsenartige hellgelbe Bohnen], Karotten. Brav ergänze ich mit noch mehr Ghee und trinke dazu Ingwerwasser. Dann ruhe ich immer noch nicht, obwohl ich kaputt bin. [In den Zetteln steht, man solle auf keinen Fall einen „Tagschlaf" machen während der Kur.] Wovon bin ich kaputt, wenn ich doch nichts getan habe? Arbeiten all die Öle, die ich nicht aus dem Haar gewaschen bekomme, tatsächlich in mir? An mir? Für mich? Ich zweifle.

Ich würde gerne eine kalte Apfelschorle trinken. Nehme mir eine der Flaschen für die Nicht-Panchakarmagäste, die im Flur von Haus 3 stehen – Wasser, das ich nicht trinken darf – und fülle mir etwas in meine Wasserflasche ab. Ich werde trotz Schmerzen noch ein wenig radeln. Schmerzen sind leichter erträglich als Langeweile und die im Stillstand sich verstärkende Traurigkeit. Ihr gilt mein Widerstand. Vielleicht ist das falsch.

Vielleicht sollte ich mich nicht widersetzen, sondern zulassen, was ist. Was ist denn?

Auf dem Zettel des Heilpraktikers steht: „Mit der körperlichen Entgiftung kann eine Entgiftung auf der Gemütsebene einhergehen, was sich in einer gesteigerten emotionalen und geistigen Empfindlichkeit äußert. Bitte sprechen Sie mit mir, falls auf der Gemütsebene Probleme auftauchen, damit wir gegensteuern können [Gespräch, Bachblüten, Homöopathie]."

Gegensteuern... Mit jemand Wildfremdem, der mir völlig neu ist? Über uralte Gefühle reden? Er hat mich von Kopf bis Fuß intensiv berührt. Und ich bezahle ihn dafür. Eigentlich auch obszön. Gefühle sind noch obszöner.

Wie soll mir jemand helfen, mich trösten, der mich gar nicht kennt? Mit Bachblüten?

LXXV

Und jetzt? Im geliehenen Koch- und Theoriebuch lesen. Wasser, Mütze und Sonnencreme einpacken. Losradeln. Ich will gar nicht so weit, komme dann aber doch bis an die Elbe, weil es so schön bergab geht mit Rückenwind, und weil es unsagbar süß duftet. Zwei Kilometer schiebe ich. Matsche an den Reifen. Weiter bergab. Bis in die kleine Stadt an der Elbe, die ich mir eigentlich für morgen aufheben wollte. Die ich schon mal besucht habe, damals haben wir in der Jugendherberge ein Wildnis-Programm mitgemacht. Sind durch den Elbwald gestreift. Haben den Boden inspiziert. Minutenlang geschlossenen Auges am Baumstamm gelehnt und gelauscht. Und danach einander mitgeteilt, was zu hören war.

Als ich das Jugendherberge-Schild sehe, überwältigt mich die Sehnsucht nach den Kindern, nach dem Leben, das nicht mehr sein wird, weil sie auf dem Weg in ihr eigenes Erwachsenenleben sind. Ich habe mich als Mutter zuständig gesehen für die Kreation guter Kinder-Erinnerungen und bin mir nicht mehr sicher, wem die Erinnerungen gehören.

In Hitzacker entdecke ich einen Lidl und kaufe mir Bananen, Pfirsiche und Aprikosen. Im Kochbuch steht, diese Früchte seien gut für mich, aber jetzt, während der Kurzkur, soll ich kein Obst essen. Ich übertrete noch eine Regel: Buttermilch. Gut für mein Dosha las ich – und „ausleitend". Doch auch dies nicht angezeigt während der Ausleitung. Die Widersprüchlichkeit nervt mich. Die Hälfte schütte ich weg, die andere Hälfte genieße ich. In Hitzacker, so heißt das Städtchen an der Elbe, sind viele Leute auf den Straßen.

Auf dem Rückweg duftet es weiter, aber jetzt geht es bergauf mit Gegenwind. Diesmal nehme ich den direkten Weg, sieben Kilometer, die mir sehr lang vorkommen. Überlege, die Kur abzubrechen, früher nach Berlin zurückzukehren. Es ist die blaue Stunde, die im Sommer nicht blau ist, sondern hell, glasklare Luft. Es ist langweilig und einsam. Doch zuhause wartet im Moment auch keiner. Die Kinder sind verreist, alles, was sonst ist, Chor, Pilates, Yoga, findet in den Schulferien nicht statt. Nur mein neues Ehrenamt könnte ich exzessiv ausüben. Kostenlos arbeiten im Kampf für eine gerechte Welt im nimmermüden Kapitalismus. Drunter mache ich's nicht.

LXXVI

Es gefällt mir nicht, „mich zu erholen". Bzw.: Ich erhole mich nicht, wenn ich nichts zu tun habe. Die Ölmischung, die mir der Heilpraktiker gegeben hat, um meine Achillessehnen einzuschmieren, riecht unangenehm, aber ich bilde mir ein, dass sie ein klitzekleinwenig hilft.

Morgen soll es gewittern.

Zum Abendessen gibt es heute für mich Suppe mit zwei Reiscrackern. Es gefällt mir nicht, den anderen dabei zuschauen zu müssen, wie sie nahrhafte Ayurveda-Kost bekommen. Noch weniger mag ich die mitleidigen Blicke. Ich bin der einzige „Kur"-Gast – die anderen sind einfach so dort, machen „Wellness". Ich fühle mich verloren und irgendwie betrogen. Ich beschließe: Wenn mir morgen noch so traurig zumute ist, fahre ich übermorgen ab. W-LAN funktioniert heute auch im Restaurant-Bereich nicht. Es ist noch nicht mal 19 Uhr, und ein langer Abend dehnt sich wie ein Angstballon.

LXXVII

Ich traue mich in die Sauna. Mitten im Grünen. Steine, Büsche, Holzlatten als Sichtschutz, eine provisorisch wirkende kalte Dusche. Ein Hauch von Hippie, der auch noch auf den Schildern vor den Zufahrten zum Wellness-Dorf zu finden ist: eine Sonne, eine Buntheit, ein Versprechen von Anderseindürfen. Indien im Wendland.

Schwimmen im kleinen Teich. Mücken abwehren. Ich setze mich noch für einen Moment zu zwei anderen Alleinreisenden, die sich angefreundet haben und wirken, als kennten sie einander seit Jahren, beide aus dem Raum Köln. Sie gönnen sich Weißwein und Snacks. Danach ist mir zum Glück gar nicht zumute. „Wir sind auf derselben Wellenlänge“, sagt die größere, schlanke Blonde, froh über jemanden, mit dem sie Grünen Veltliner, ihren elektrischen Mückenstich-Wegbrenn-Stift und Belanglosigkeiten teilen kann.

Ich bin dankbar, eine kurze Weile in ihrer Gnade sitzen und ihrem Befreunden beiwohnen zu dürfen. Nicht viel reden zu müssen. Einfach nicht allein zu sein. Als mir ihr Gespräch zu viel wird, danke ich und verabschiede mich.

LXXVIII

Ich liege nachts wach. Spüre Hunger. Verzehre eine der Not-Bananen, die ich bei Lidl besorgt habe. Der Hunger bleibt. Bohrend. Ich habe genug davon. Meine Ambivalenz gegenüber Ess- und Körperkontrolle schlägt in die Verweigerung um: Ich will den für übermorgen vorgesehenen Abführtag nicht machen. Ich bin dafür im Moment psychisch zu labil. Darüber denke ich mehr oder weniger die ganze Nacht nach. Dass ich nicht als einzige im Restaurant sitzen und hungrig bleiben will. Dass ich eine quälende Sonderbehandlung bekomme. Warum ich kein einfaches Wasser trinken darf – das kann doch nicht sinnvoll sein? War vielleicht vor Tausenden Jahren sinnvoll, als das Wasser verkeimt war. Aber heute? Was soll an Quellwasser schädlich sein? Und dass ich von Panchakarma Light die Light-Version brauche. Ich beschließe, nach dem Morgenyoga mit dem Heilpraktiker darüber zu reden.

LXXIX

Das Yoga ist kein Yoga, sondern Gymnastik, die so tut, als wäre sie Yoga, angeleitet von einem der *Work-and-Travels* auf dem Gelände. Ich hatte mich aufs Yoga gefreut. Es wirkt bei mir zuverlässig antidepressiv. Doch dieser Mensch macht weder eine Verbeugung zum Beginn noch am Ende. Sagt nichts über Lendenwirbelschutz bei der Kobra, spricht in mäßigem Englisch von „exercises“ und verwendet falsche Begriffe. Er nennt seinen Namen nicht. Atemübungen fehlen ganz. Er ist, Yogi-untypisch, nicht richtig da.

Missbrauchen die Geschäftsleute hier die beliebten Labels „Ayurveda" und „Yoga", um Kunden anzulocken? Das „Wellness-Dorf" ist erstaunlich wenig inspiriert. Als wäre der Geist ausgeflogen und die Hülle zurückgeblieben.

LXXX

Nach dem Frühstück sehe ich den Heilpraktiker. Ich erkläre ihm meinen nächtlichen Beschluss: kein Abführen mit Rizinusöl wie angedroht. Er bleibt ganz ruhig, lässt sich emotional nicht unter Druck setzen, geht aber sofort auf meine Wünsche ein. [So einen Menschen bräuchte ich regelmäßig. Einen, der sich nicht von meinem Fieber anstecken lässt, aber gern auf meine Wünsche eingeht. Der einfach da ist und das Richtige tut und das Falsche lässt. *Träum weiter, Baby.*] Er werde der Küche sagen, dass ich künftig die normale Ayurvedakost bekomme. Statt Rizinus könne ich morgen ein ayurvedisches Pulver nehmen. Das führe auch ab, aber weniger heftig.

Er mischt mir Bachblüten „fürs Gemüt".

Das Mittagessen ist fettig. Ich fahre mit dem Bus nach Hitzacker. Die Füße tun zu sehr weh für eine erneute Radtour. Der Busfahrer weigert sich, ein Dienstleister zu sein. „Könnten Sie die Haltestelle am Schwimmbad ausrufen?" „Nein." Da springt eine Frau ein, die mein behindertes Gehirn sofort in die Schublade „behindert" einsortiert, ohne dass ich dabei

Herabsetzendes fühle – ich sortiere einfach nur. Sie, die etwa siebenjährige Tochter neben sich, sagt mir, wo ich aussteigen muss. Freut sich offensichtlich, dass sie helfen kann, steigt an derselben Haltestelle aus und erklärt ausführlich den Weg zum Schwimmbad.

Auch hier sitzt am Kartenverkauf einer, den ich in obige Schublade täte, auch dieser agiert freundlich und hilfsbereit. Ich heiße das Freibad willkommen, genieße die Geräusche der Kinder und Jugendlichen, bade in Platschen, Rufen, Kreischen und Bällen. Erfreue mich an den schlichten, ausreichend heißen Duschen. Dankbarkeit.

Im Hinterkopf rattert die Frage, ob ich morgen für die letzten beiden Tage, die mir bleiben, nach Hitzacker „umziehen" soll. In die Jugendherberge. Ich brauche mehr Menschen um mich herum und einen Bahnhof in der Nähe. [Brauche ich Fliehen?]

Nach dem Schwimmen sitze ich eine halbe Stunde auf einer Bank und denke weiter darüber nach. Erwäge außerdem, meine Mutter anzurufen: Ich sehne mich danach, dass ich mich nach ihr sehnen darf. Es steht so viel zwischen uns, und jedes Gespräch, das wir nicht führen, legt mehr dazu. Sie mag Musik. In Hitzacker sind bis Sonntag gute Konzerte. Wir könnten zusammen zuhören. Sie würde sich freuen, wenn ich anrufe, das weiß ich.

Ich merke, dass ich beide Entscheidungen schon getroffen hab, rufe in der Jugendherberge an, buche ab morgen ein Zimmer für zwei Nächte.

Und spreche auf den Anrufbeantworter der Mutter.

Nach dem Telefonat beißt mich die Traurigkeit wieder in den Nacken.

Ich gehe zurück zur Bushaltestelle, der Weg schon fast vertraut. Dort sitzt dieselbe Frau mit Tochter wie auf dem Hinweg und freut sich übers Wiedersehen. Redet. Über den Kindsvater, über den neuen Ex-Freund in Hamburg. Schimpft mit der Tochter, wenn diese auch etwas sagen will. Wirkt hart, dennoch inkonsequent. „Eigentlich solltest du ja keine Extras mehr“, ist ihr Kommentar zu dem Glitzer-Comic, das das Kind halb aus der Tasche zieht, um mir zu zeigen, was sie eingekauft haben. Auch der künftige Schulweg ist kontrovers zwischen den beiden. „Ich bringe dich eine Woche in die neue Schule, danach sehen wir“, bestimmt die Mutter. „Aber ich weiß doch den Weg, Mama...“ – „Keine Diskussion jetzt!“ Sie scheint unbeholfen in der Liebe, und darin, dem Kind Sicherheit zu geben. Wenn das Mädchen ihr die Hand auf den Arm legt, um sie zu streicheln und den Arm der Mutter um sich legen will, damit es umarmt werde, zieht diese ihn schnell weg, als fürchte sie die Zuneigung der Tochter, oder die eigene Zärtlichkeit. Eine Bürde? Doch sie lacht auch, gern und fröhlich durch kaputte Zähne und hat verblüffend offene Augen – vielleicht will sie deshalb erst sicher sein, wen sie anschaut? Sie redet in die Luft, den Kopf eckig hin und her wendend, bevor sie, nach langer Weile, die Augen direkt zu demjenigen hinwagt, mit dem sie spricht. Gute, warme, braune Augen in einem hageren Gesicht, deren dichter Blick die vorherige abwehrende Verrenkung vergessen lässt. Über ihrem Kehlkopf klebt ein großes frisches weißes Pflaster. Sie redet übers Wetter. Wetter geht immer. Als sie zum Thema Sternzeichen kommt, mischt sich ein Rollstuhlmann mit rotem Kopf und Warzen im Gesicht ein, der sich neben dem Bushäuschen platziert hat, Waage sei nicht im Oktober. Ich versuche zunächst, ihn zu korrigieren, aber er lässt sich seinen Irrtum nicht nehmen. Es fällt mir schwer, etwas meines Erachtens Falsches stehen zu lassen, aber ich bezwinge mich. Die Frau, die er korrigiert hatte, sich einmischend, geht überhaupt nicht auf ihn ein. Ich muss im Moment niemanden verteidigen, auch kein Sternzeichen.

Endlich kommt der Bus. Derselbe Busfahrer wie vorhin bringt den Fahrpreis nicht über die Lippen. Als ich störrisch darauf warte, sagt er: „Na, wieder 2,60“. Immerhin, er hat mich erkannt. „Hätte ja sein können, dass sich das ändert“, lache ich. Da muss er schließlich auch lachen und widerspricht: „In so kurzer Zeit nicht“.

Die Tochter der Frau fragt, ob ich mich neben sie setzen wolle. Ich frage die Mutter, ob es okay sei. Die Tochter lispelt stark, die Zunge kommt zentimeterweit zwischen die Zähne, wenn sie spricht. Sie ist schwer zu verstehen. Ich wünschte, ich könnte irgendwie veranlassen, dass sie zur Logopädin geht, aber mir fällt nichts ein. Ich hoffe auf ihre künftige Lehrerin.

[Mich gehen alle etwas an. Ich sehe zu viel. Ich fühle zu viel. Ich erinnere mich nicht, dass das je anders war, nur ging ich früher davon aus, dass es allen so ginge. Ich fühle mich allem verbunden. Auch mit der Ameise, die ich zertrete. Ich entschuldige mich, wenn ich eine Ameise trete. Ich entschuldige mich fortwährend bei den Lebewesen, die ich, weil ich ein Mensch bin, behindere. Ich bin gewissermaßen behindert.]

Die Frau unterhält sich mit dem, ihr gegenüber sitzenden, dicken Dortmund-Trikot-Träger. Im Moment fühlt sie sich nicht verpflichtet, die Tochter zu maßregeln oder mich vor den Kommunikationsversuchen der Tochter zu bewahren – ich sitze ja freiwillig neben dem Kind. Der Mann, mit dem die Mutter nun plaudert, ist auch einer, der in meine Behinderten-Halbdebil-Schublade passt. Ich wünschte, ich hätte diese Schubladen nicht im Kopf. [Machen sie es mir einfacher oder schwerer, mit Menschen, mit mir selbst umzugehen? Immerhin bin ich einigermaßen sicher, dass ich frei von Hochmut bin oder mich zumindest permanent daran erinnere, dass ich frei von Hochmut sein will.]

Die Tochter spricht kurz mit mir, scheint etwas unsicher, ob sie sich zu viel zugemutet hat mit mir, als wildfremder Person. Ich sage, dass sie Bescheid sagen solle, wenn sie zu ihrer Mutter möchte. Sie bleibt bei mir sitzen, ich fühle mich geehrt. Und geborgen, in diesem Busraum. Sieben Kilometer zurück ins Dorf, umgeben von Menschen, die auf ihren Wegen wandeln und zumindest in diesem Moment nicht aggressiv sind. Zu denen ich für diese kurze Weile gehören darf, verpflichtungsfrei. Die blaue Stunde in temporärer Gemeinschaft heute, schmeckt mir besser als die einsame blaue Stunde gestern. Eine kleine Freude erfüllt mein Herz, und eine große Traurigkeit gesellt sich zu ihr.

So ist das manchmal, wenn ich das Herz öffne: dann können sie rein. Beide und alle. [Es ist nicht recht, dass ich in einer Wellness-Oase so tue, als gäbe es kein Unrecht. Werde ich nicht anderswo gebraucht. Wo?]

Oder ist Marcuse schuld? Strafe ich mich für den Luxus, den ich mir gönnen wollte, indem ich noch mehr Geld ausgebe – unnötig! – für zwei Nächte Jugendherberge, wo ich mich mehr am Platz fühle? Massage hin, Ayurveda her. Es stimmt einfach nicht. Passt nicht zusammen. Es gibt kein einziges Kinderspielzeug hier. Kein Tier außer freifliegenden Insekten und Vögeln. Es ist unnatürlich, ein paar Häuser mitten in der Pampa, wo sich die Leute davon erholen sollen, die Pampa zu zerstören. Nichts ist behindertengerecht. Es ist hier nur für „Normale“ gedacht, die entweder keine Kinder haben, älter sind oder nicht mit Kindern Urlaub machen möchten. Zu alt dürfen sie aber auch nicht sein, weil es keinen Fahrstuhl gibt. „Anderssein ist ein Verstoß gegen die Leistungsgesellschaft“, schrieb kürzlich eine behinderte Hochbegabte in der *Zeit*. Jede ist verschieden anders. Ich verstoße fortwährend gegen jene Gesellschaft und stoße mir dabei den Kopf, das Herz und die Seele. Habe ein labiles Gleichgewicht wiedergefunden, weil ich morgen abreise von diesem seltsamen Ort. Immer noch Zweifel. Ist das richtig? Oder wird eine neue Welle kommen am anderen Ort? Die Wellen entstehen innen, werden vom Außen nur ausgelöst. Glaube ich [aber was weiß denn ich]. An manchen Orten kann ich besser mit ihnen umgehen als an anderen. Manchmal surfe ich auch drauf, dann schreibe ich. Oder ich liebe.

LXXXI

In dem Meditationstext finde ich die Antwort auf meine Frage, warum ich mich für Schmerz schäme: „Unsere Welt ist randvoll mit Bildern, die uns sagen, daß Leiden falsch ist; Werbung, soziale Umgangsformen und kulturelle Wertvorstellungen signalisieren, daß es schuldhaft, beschämend, demütigend sei, zu leiden oder traurig zu sein. In diesen Botschaften spiegelt sich die Erwartung, daß es uns möglich sein sollte, Schmerz oder Verlust irgendwie zu kontrollieren. Wenn wir geistige oder körperliche Schmerzen erfahren, fühlen wir uns oft isoliert, von der Menschheit und dem Leben abgeschnitten. Unsere Scham läßt uns ausgerechnet dann zum Außenseiter werden, wenn wir in unserem Kummer das Gefühl von Verbundenheit am meisten brauchen."

Die Nacht vergeht ohne Denkkrampf, aber mit Mücke.

LXXXII

Vierter Tag: Mittwoch. Etwas Joggen, Dehnen, Atmen. Ich bin froh, dass ich nachmittags von dannen ziehe. Was auch immer dann innen und außen passieren mag: Ich werde es hin und her wenden und irgendetwas daraus machen.

Meine Mutter ruft zurück. Sie möchte morgen mit mir ins Konzert. Ich weiß nicht, ob ich mich freue, aber ich glaube schon.

Eine letzte Massage erwartet mich. Ich erkläre dem Heilpraktiker, dass ich nach Hitzacker umziehe. Er bittet mich, dennoch morgen zum „Abschlussgespräch" zu kommen. Als Anreiz verspricht er mir Hilfe bei Migräne. Während der Massage habe ich kurzfristig das Gefühl, es sei besser geworden. Das hat getäuscht. Ich fürchte, ich glaube nicht daran. Der Heilpraktiker ist nett und bemüht, aber er muss alle Pflanzennamen nachschlagen, weiß selbst nicht, was in dem Pulver drin ist, das er mir gibt. Zum Abführen. Ich solle es vor dem Mittagessen nehmen, nach ca. zwei Stunden setze die Wirkung ein. Wie viel vorher? Eine halbe Stunde vorher. Was ist das? Er nennt alles „Pulver", „Mittel". „Triphala". Informiert mich: „Körper, Gemüt und Geist hängen zusammen!" Große Neuigkeit. Mit der Abführung werde auch anderes herauskommen. „Schauen Sie sich das in Ruhe an." Mir scheint, im Grunde tue ich seit Tagen nichts anderes.

Er fragt, ob ich die Bachblüten genommen hätte. Ich sage, verschämt, nein. „Ich dachte, die seien für den Notfall." „Nehmen Sie alle 15 Minuten heute die Bachblüten. Morgen dann alle vier bis fünf Stunden. Ungefähr vier Tropfen. Nie mit Metalllöffeln, benutzen Sie Plastik oder Holz. Und schreiben Sie auf, was alles mit raus soll, bevor sie abführen", meint er. Die Stelle an der Schulter, die auf der Kippseite der Liege platziert ist, schmerzt. Er findet einige gute Punkte. Verweilt viel zu kurz bei ihnen.

Der Heilpraktiker rechnet aus, dass ich, Sternzeichen Fisch, Jungfrau im Aszendenten hätte. Das heiße, dass der Saturn bis Ende des Jahres Vergangenheitsbewältigung begünstige. Nein, er hat nicht Vergangenheitsbewältigung gesagt, nur, dass vieles von früher dann „hochkommt". „Nehmen Sie die Chance wahr, es anzuschauen!“, ermuntert er mich. „Sie kommt nur alle 30 Jahre.“

LXXXIII

Ich habe Respekt vor dem ayurvedischen Abführpulver. Vorher notiere ich wie befohlen, was „mit raus“ soll. Alles, was ich hierlassen will, in diesem seltsam künstlichen Dorf. Alles, was ich hinter mir lassen will, wenn ich nach Hitzacker fahre, sobald die Abführung vorbei ist:
- Groll
- Grübeln über vergangene Taten und Untaten
- Die Scham über Schmerz
- Die Scham über Anderssein
- Die Scham, überhaupt zu sein
- Vielleicht überhaupt die Scham?
- Die sinnlose, ergebnislose [erworbene? Aufgedrückte?] Zuständigkeit für die Trauer meiner Mutter
- Die sinnlose, ergebnislose [erworbene? Aufgedrückte?] Zuständigkeit für die Einsamkeit meines Vaters
- Und umgekehrt [Trauer meines Vaters, Einsamkeit meiner Mutter]
- Die Vorstellung, ich sei kaputt und müsse nur das richtige Teil finden, um mich heil zu machen
- Den übelnehmenden Blick auf mich und meinen Körper
- Die Angst, allein zu bleiben

- Wenn möglich auch noch: Die Entzündungsbereitschaft der Füße, die Schmerzanfälligkeit der Knie, die Bereitschaft, mich enttäuscht zu fühlen, den Anspruch, alles [ALLES] richtig zu machen und jedem [JEDEM!] gerecht zu werden [gerecht!], den Hang, die Signale von Körper und Seele zu überfühlen, und noch x Dinge…

Habe ich jetzt alles aufgeschrieben? Bestimmt nicht. Kann ich nachträglich hinzufügen? Morgen, in einer Woche? Bestimmt.

Den Leistungsdruck notiere ich nicht. Mich von ihm zu trennen erschiene mir halsbrecherisch.

LXXXIV

Ich habe meine Tage. Mein Unterleib zieht. Jetzt: Loslassen, was raus muss. Ich löse das Pulver – es kommt mir sehr viel vor – in heißem Wasser auf. Ich warte, dass das heiße Wasser Trinkwärme hat. Es riecht nicht unangenehm, eher – vertraut? Ich trinke, was ich gegoogelt habe: Emblica officinalis, Premna integrifolia, Terminalia chebula, Terminalia belerica. Unangenehmes Sauerbitter erfüllt meinen Mund. Eklig. Mir wird schlecht. Ich lasse ein Viertel übrig, schütte es weg. Mein Unterleib zieht noch mehr. Ich trinke Ingwerwasser, das hilft auch gegen Übelkeit, weiß ich seit der ersten Schwangerschaft.

Wieso soll man das eigentlich vor dem Essen machen? Ich lese auf dem Beipackzettel: „Die Kräuter in dieser Kombination haben eine ausgeprägt reinigende Wirkung auf den Magen-Darm-Trakt.“ Triphala stimuliere die Darmwirkung, nähre das Darmgewebe und schütze die Darmschleimhaut … fördere den Darmtonus.

LXXXV

Heute kocht eine Thailänderin. Klug erscheint mir der ayurvedische Rat, den Magen nur zu zwei Dritteln zu füllen und nicht mehr als zwei Handvoll essen zu jeder Mahlzeit. Meine Hände sind klein. Diejenigen, die die Kuranweisungen geben – Köchin, Heilpraktiker, Edda – erscheinen mir inkonsequent. Niemand fordert von mir Konsequenz ein. Niemand macht ein Brimborium drum herum. Der Heilpraktiker sagt widersprüchliche Dinge, kramt außerdem Bachblüten, Astrologie und Homöopathie hervor – Heilweisen, die in anderen Denksystemen wurzeln als Ayurveda. Wie soll ich da glauben? Ich glaube an das, was hilft. Ayurveda-Essen hilft *nicht* gegen Gelenkschmerz, aber deutlich gegen die Blähungen: Sie sind fort. Warmes Essen mittags und wenig[er] Rohkost abends helfen.

Zwei *Work-and-Travels* entfernen die Grashalme zwischen den Gehwegsteinen mit einem Brenner. Es riecht wie verbrannte Haare und dröhnt. Ich verstehe nicht, wozu das gut sein soll:

glattgeleckte Höfe, als dürfe man die Arbeit und die Tiere und Pflanzen nur sehen, wenn sie geordnet in Ställen oder Beeten oder Feldern stehen. Als wäre Gras zwischen Steinen unordentlich. Vielleicht ist es auch eine technische Sache: Gehen die Steine kaputt, weil die Natur zu stark ist?

50 Minuten seit Einnahme von Triphala. Im Darm rührt sich noch nichts. Marcuse weiterlesen. „Die Dinge und sich selbst außerhalb des Zusammenhangs von Gewalt und Ausbeutung erfahren… eine Gesellschaft zu errichten, in der die Abschaffung von Armut und Elend Wirklichkeit wird und das Sinnliche, das Spielerische, die Muße Existenzformen und damit zur *Form* der Gesellschaft selbst werden“.[4]

Wäre das schön! Sein „Vertrauen in die Rationalität der Phantasie“ und in die umwälzende Kraft der Pariser Mai-Revolte rührt mich. Schade, dass es so lange dauert, dass wir Menschen uns verändern. Hoffentlich haben wir genug Zeit, das Kaputte in uns auszureißen – behutsam, ohne Gewalt! Sonst eliminieren wir auch das Heile! – bevor es uns ganz zerstört.

Jetzt wirkt das Mittel. Mehrmals. Mir ist mulmig. Plötzlich schlapp. Wie komme ich auf die irre Idee, dass jetzt alles Alte, alles Kaputte raus ist? [Wohl kaum.]

---

[4] Herbert Marcuse, "Die neue Sensibilität", in: ders., "Versuch über die Befreiung", Frankfurt/Main 1969, S. 45.

Ich packe zusammen, warte, bis der letzte Schwung Abführung im Klo landet und besteige das Rad. Finde einen anderen guten Weg nach Hitzacker, kaum ein Auto nervt, fahre langsam durch schwüle, dennoch windige Schleierduftluft. Die Achillessehnen tun noch mehr weh als vor der „Kur“. Wäre auch zu schön gewesen. [Gibt es das: zu schön?]

LXXXVI

Die Jugendherberge liegt hoch oben am Elbwald, „Steigung 13%“, informiert ein Schild. Ich schiebe, schwitze, sage mir, dass ich alles langsam machen darf, *keine Eile, mein Herz*, und dass ich nach Kühlpacks fragen kann. Ich befinde mich „an der Wolfsschlucht“, komme an einem Wildgehege vorbei. Ein Reh tönt hirschig. Oder ist es ein junger Hirsch, der wie ein Reh aussieht?

Die Frau am Empfang ist distanziert und abgewandt. „Einen schönen Aufenthalt“ wünscht sie, ohne mich dabei anzusehen, leiht mir aber ein Kühlpack. Ich bin ein Kind. Ein Kind mit Kühlpack unter den Sehnen, die Füße auf einem der quadratischen Herbergsstühle. Ein Kind, das mit Mühe sein Bett bezogen hat, ohne den Gummibezug auf der Matratze zu berühren. Es könnte sich einpinkeln. Ein Kind mit Heimweh nach einem Heim, das es nicht findet. Ein Kind, das sich an Ersatzheimen festhält und fürs kleinere Übel dankt. Ein Kind, das vor sich selbst Reißaus nimmt.

Das Haus hatte ich angenehmer in Erinnerung, aber im Wellness-Dorf wären sie sicherlich auch angerollt, die Wellen der Blauen Stunde. Und dort hätte ich weniger Ablenkung. Hier sind mehr Menschen um mich. Und die Erinnerung an den Urlaub mit den Jungs – also fast Heimat. Doch das Kind steckt fest in mir, ruft nach Trost. Ich muss es trösten und mich immer wieder daran erinnern, dass ich kein Kind mehr bin und deshalb keine Angst zu haben brauche. Mühsam, aber notwendig. Andere werden blind geboren, oder taub, oder spastisch – bei mir ist es eben das. Manchmal geht es besser als an anderen Tagen. Es kommt sehr auf die Umgebung an.

Die Herberge ist nüchtern, sachlich, jugendlich, praktisch, selbsttätig. Auch hier geht man davon aus, dass jede normal ist, aber hier wird keiner bedient.

Ich sitze in einem Zimmer, das in mein Wellness-Zimmer dreimal passen würde. Doppelstockbett. Duschbad ohne Fenster. Komischer Geruch. Fenster nur auf Kipp zu öffnen. Aus dem Fenster blicke ich auf einen Spielplatz und ein Fuß- und Volleyballfeld. Bäume. Die Depressionswelle schwappt. Ich richte mich ein, dagegen an. Ich richte das Wort an mich: *Es ist nicht so wichtig, Herzchen. Du machst dir dein Zuhause, wo immer du bist. Einfach dadurch, dass du da bist. Du nimmst nicht nur dein Leid mit, mein Herz, du nimmst auch deine Freude mit, und deine wacklige Weisheit, deine Klarheit, deinen wachen Geist. Du nimmst deine Bereitschaft, glücklich zu sein mit – überall hin! Es reicht, einen Grashalm zu betrachten oder die Füße ins Wasser zu stecken oder dem Vogel zu lauschen, dessen Namen du nicht weißt. Den du trotzdem begrüßt wie einen alten Bekannten. „Hey, auch da!" Denn du kennst ihn, und er kennt dich. Und schau, die Elbe ist ganz nah. Sie fließt immer mit. Immer weiter.*

Und jetzt ahne ich plötzlich, was ich hier soll: Es hat einen Sinn! Auch wenn ich ihn nicht verstehe: Ich bestrafe mich nicht, sondern beschenke mich. Es ist keine Panchakarma light-Kur, die ich mache, sondern eine Heavy-Tour. Steiler Ab- und Anstieg. Es *muss* zwecklos sein. Alles andere wäre sinnlos.

Jugendherbergs-Salat und zu salzige Brühe zum Abendessen. Die Seele isst mit – der Magen fühlt sich wohl, trotz Bohnen und Salz.

LXXXVII

Nahe der Elbe ein eintrittsfreies Freiluftkurzkonzert. Trio a-Moll für Violine, Violoncello und Klavier [Ravel, 1914]. Danach eine „Prim für Kleine Trommel solo" [Áskell Másson, 1983]. 11/8tel-Takt mit 44 Zweiunddreißigstelnoten, informiert der Programmzettel. „Im ersten Takt erklingen alle Primzahlen aufsteigend geordnet..."

Ich verstehe kein Wort, aber lausche gern den Tönen. Die Schlagzeugerin ist jung und wunderschön und so spielt sie auch. Frauen und Männer über 50 aus [noch eine Schublade] akademischen Kreisen und sicheren Verhältnissen in locker-sommerlicher Abendkleidung auf Biertischbänken bevölkern den Rasen vor der Konzerthalle, klatschen begeistert. Viele halten appetitlich aussehende, gut gekühlte Weißweingläser in den Händen. Elegant sieht das aus. Kennerisch. Konzert und Wein und Sich-Auskennen mit Musik – so sieht das aus. Klassikkonzerte haben, unweigerlich – warum ist das so? – einen ausschließenden [bzw. das „Bürgertum" mit sich einschließenden] Charakter, der wenig mit der Musik zu tun hat. Ich stelle mal wieder fest, dass ich dazu gehören und nicht dazu gehören will, denn wenn ich dazu gehörte, könnte ich nicht mehr hinschauen, könnte nicht mehr darüber schreiben. Der Preis für Dazugehörigkeit ist Befangenheit.

Bei diesem Festival sollen die Stipendiaten ihre Kunst öffnen. „Soziales Engagement mit ‚Outreach-Aktionen' für Senioren, Geflüchtete und Schulen der Region", nennt das der Programmzettel. Ich sehe um mich herum fast ausschließlich „Senioren", die keine „Outreach-Aktion" benötigen. [Entlarvend, wie das Bemühen um „Integration" im Duktus der Sprache die Wir-Die-Haltung zementiert – auf der einen Seite „wir", die Gebildeten, die sich um „die" zu Bildenden bemühen. Mit dem ganzen Konzept

Bildungsbürgertum stimmt etwas nicht, weil es sich herablässt und den immanenten Dünkel mit jeder Geste – noch im wohlmeinenden Spenden, noch in der ambitionierten Spendengala – ausdrückt und dadurch die eigenen Bemühungen, Grenzen zu denen zu überschreiten, die noch nicht dazugehören, konterkariert. Solange eine gesellschaftliche Gruppe es nötig zu haben glaubt, sich von anderen durch Bildung und Habitus abzugrenzen, ist das Abgrenzungsinteresse größer als das der Öffnung bzw. einer Begegnung auf Augenhöhe mit Leuten, die anderen gesellschaftlichen Gruppen angehören.

In Wahrheit sind die Grenzen längst fließend – und je mehr sie zerfließen, desto heftiger gestikuliert das Bildungsbürgertum in seinen Selbstvergewisserungsriten: Es ist ein sterbender Schwan, aber schön sieht er aus, und wunderbar singt er.]

Ich sitze auf dem Gras mit dem Rücken an den Pfahl des Zeltes gelehnt, unter dessen Dach musiziert wird. Abseits dabei. Anscheinend brauche ich die zugehörige Unzugehörigkeit. Oder eine unzugehörige Zugehörigkeit.

Ich denke an meine Mutter. Oft war es peinlich mit ihr in Konzerten, denn sie hatte kein Problem damit, mitten in der Aufführung den Saal zu verlassen, wenn es ihr nicht gefiel. Nie hat sie gefordert. All die guten Erinnerungen, die ich mir in meinem Groll so lange versagt hatte – heiße ich jetzt willkommen. Zum Beispiel an die Nudeln, die wir den Hühnern gaben während einer Fahrradtour-Picknickpause, an die Heiterkeit im Gras. Ich erinnere mich an ihren Mut, die Schule und deren formale Erfordernisse nicht über alles zu stellen. An ihre Eigensinnigkeit, *nichts* kritiklos hinzunehmen außer sich selbst. An ihre vollendete Kraft. An das Strahlen ihrer knallblonden langen Haare [seit Jahren sind sie kurz, das Grau färbt sie weg]. Erinnere mich an ihre zärtlich-groben Hände. Hat es Streicheln gegeben? Ich erinnere mich nicht. Mein Kindsein kommt mir vor, als hätte eine andere es gelebt, Fotos in einem Album, ausgerissene Stellen. Die Jugendliche hat sich übers Kind gelegt, jenes Mädchen, das Lieder schrieb und sang. Ich sehe sie auf dem Boden hocken, die Gitarre im Schoß, und finde einen Liedfetzen wieder in einem der vielen Ordner früherer Texte, die ich noch nicht weggeworfen habe und erinnere mich – „der eine Traum ist noch lange nicht ausgeträumt". Das Mädchen, das ich war, hoffte, irgendwann „kein Papier mehr zu brauchen, weil es irgendwann hell sein würde, einfach so".

Das Blatt ist eingerissen, mit Akkorden und Kaffeeflecken bedeckt. Die Jugendliche hatte sich mit der Unordnung zuhause abgefunden. Ihre Mutter fand Ordnung spießig. „Das brauche ich nicht", sagte sie. Das Mädchen war Spionin und Polizistin – *Verräterin* – und schrieb alles auf.

Versteckt hat das Mädchen sich zwischen Buchdeckeln und aus der Wirklichkeit hat es ein Abenteuerspiel gemacht. Vielleicht hat es mir damit das Leben gerettet. „Der andere Traum schwebt und schwelt…"

Bin ich ihm treu geblieben, dem Mädchen, das sich weigerte, das Leben in den Dreck zu ziehen? Es wollte Schriftstellerin werden, Landwirtin, Schauspielerin, Ehefrau, Liedermacherin, Mutter. Es wollte mager sein und groß und begehrt und in Ruhe gelassen. Es wollte nicht ich sein.

So ist es in zu großen Schuhen der Unsterblichkeit entgegengewackelt. Und wenn wir stolpern, krallen wir unsere Finger ins nasse Gras und halten uns aneinander fest. Wir kennen den Duft des Scheiterns.

Das Mädchen wartete stundenlang auf den Fahrradfreak, der war zweimal sitzengeblieben, kiffte und hatte eine Freundin, von der er nichts erzählte. Es stand auf dem Balkon und hielt nach ihm Ausschau. Im Dunkeln wurde es geküsst. Seine Kassetten leierten. Danach fing es an, sich dünn zu machen, wurde zum Abi wieder dick und schämte sich für jedes Kilo, für jedes Foto und für jede Zeile, die es schrieb. Für jedes Gefühl, das es hatte. In seinem Zimmer sang es laut und hoffte, es werde irgendwann aufhören, wenn niemand hört. Im Grunde konnte es sich nicht leiden – es hatte nicht gelernt, wie das geht. Es musste immer drunter fassen, durfte nicht nach den Sternen greifen, und verbrannte doch an ihrem Leuchten. Ließ mich als Asche zurück.

Auf diesem kalten Grund lege ich meine heißen Steine aus. Bevor sie ins Nichts verglühen, ergeben sie Muster: für eine Zukunft, die längst vorbei ist. Und ich möchte weinen für das Kind, das ich war, ohne über seine Tränen zu verfügen, denn ein Kind hält das alles zusammen. Es flocht die losen Binsen der Fußmatte zurück. Es schrieb, wenn es danebenging. Heiß schmeckte die Scham und süß das Verstecken. Doch es gab eine Stunde, da war sein Herz rein – es muss sie gegeben haben. Wir erinnern uns nicht, die Jugendliche und ich. Wir erinnern uns nur, wie seine Hose voll war, und wie es den ganzen Tag nichts gesagt hat, bis zum Abend. Das Kind war Königin der Lücken. Das Mädchen stopfte kleine Brocken Zeit in die Ritzen. Es konnte nicht wissen, wohin das führen würde und sehnte sich zu spät danach, eine Prinzessin zu sein. Bis es ihm das Herz zerriss, trug es verschiedene Strümpfe. Dann ist es verschwunden. Später kam jemand wieder, genau um die Ecke, aber das Kind war es nicht, auch das Mädchen nicht, sondern ich, wie man sagt. Aus diesen Buchstaben flechten wir uns ein Leben. „Trotzig hoffend, es nimmt nicht die Sicht. / Trotzig hoffend, es nimmt nicht die Sicht."

LXXXVIII

Die Elbe leuchtet im Abendrosa. Auf einer Bank sitzen drei Leute. Eine Frau mit Stock erhebt sich, blauweißes Sommerkleid, graue Haare. Ich ergattere ihren Platz: „Dann habe ich ja nicht umsonst gewartet." Kleines Lachen. Sie hat sich mit dem Paar unterhalten, bleibt noch kurz stehen. Ich sehe: meine alte Musiklehrerin! Ich frage nicht, ob sie noch im Schuldienst ist. Oft ließ sie uns Volkslieder singen. Sang auch in einem Chor gemeinsam mit meiner Mutter, deren Namen ich erwähne, damit sie weiß, wer ich bin. Offenbar habe ich mich mehr verändert, als sie. Ich bin mir nicht sicher, ob sie mich „erkennt". „Carmen" haben wir bei ihr „durchgenommen". Und Bartók sollten wir anhören. Ein Mitschüler verließ den Raum, weil er die Musik als Zumutung empfand.

Die Konzertmahnung gongt zum zweiten Mal. Die Musiklehrerin geht ab in Richtung Saal. Das Paar bleibt sitzen. Er gibt Stichworte, sie spricht und spricht. Ich beginne, Beklemmungen zu spüren. Endlich erheben sich beide, wünschen „alles Gute".

LXXXIX

Dankbarkeit ist angenehmer als das Gefühl, zu kurz gekommen zu sein. Jemandem Gutes zu wünschen, ist viel angenehmer, als jemandem zu grollen. Ich kann den fernsten Personen aus vollem Herzen Gutes wünschen, auch meinen

Eltern, doch in ihrer Nähe bin ich auf mich zurückgeworfen, sitze auf mir Trauerkloß fest.

Seit Jahren *arbeite* ich daran, mich von ihm abzustoßen. An meiner Mutter scheitere ich immer wieder. Aus der Ferne ist mein guter Wille mächtig – in ihrer Nähe schrumpft er zu einem Angstbrocken im Hals, weicht einer Panikwelle im Bauch. In ihrer Gegenwart bin ich das Kind, das sich vor ihr schützen muss und kann, weil es jetzt erwachsen ist. Ich möchte gleichzeitig lieben und mich vor ihr schützen. Ich wünschte, meine Liebe könnte erwachsen werden, ohne das Kind, das ich nicht mehr sein muss, zu verraten. Ohne *alles wieder gut* zu machen. Darüber habe ich so oft gelogen, und mich an jeder Lüge umso tiefer geschnitten. Es war nie und wird nicht „alles gut". Ich kann nicht aus meiner oder ihrer Not heraus vergeben, sondern nur aus meiner Freiheit zum Lebendigsein. Das übe ich und übe und übe.

Die Mutter hat mich geliebt, wie sie es vermochte. Mehr zu verlangen – noch dazu im Rückblick – und damit den Groll zu füttern, ohne es eigentlich zu wollen, wäre trostlos. Wäre gegenwartstötend.

„Statt sich von der Angst lähmen zu lassen und so zu tun, als sei die Zukunft schon beschlossene Sache, geht es doch darum, die kreative Lücke zu finden in der Gegenwart, aus der man etwas machen kann. Es gibt immer eine Lücke."[5] [Natalie Knapp, Philosophin].

Es gibt immer eine Lücke – oder? Zwischen jedem Buchstaben liegt eine klitzekleine, zwischen allen Wörtern liegen Lücken, zwischen den Gedanken, zwischen den Menschen: Begegnungslücken. Veränderungslücken.

Meine Mutter hat dasselbe Recht zu irren und fehlzugehen wie jeder andere Mensch. Wie ich. Ich glaube, wir haben einiges am Miteinandergutsein nachzuholen. Unsere Lücke.

Ich hoffe, die Mutter stirbt nicht, oder ich, bevor wir die Lücke finden.

XC

Überraschenderweise schlafe ich besser in dem engen Herbergsbett. In der Nacht hat es begonnen zu regnen. Beim Blick ins Grüne stellt sich Wehmut ein: morgen abzufahren, zurück in die laute Stinkestadt zu den großen Ablenkungen. Zurück in eine anders wacklige Sicherheit.

Frühstück gibt es in der Herberge von 7:30 bis 9:00 Uhr – zu spät für mich, denn ich will den Bus um 8:12 Uhr ins Wellness-Dorf nehmen. Schlüssel abgeben. Dort ein letztes Mal den

---

[5] Natalie Knapp: "Es gibt immer eine Lücke", in: Die Zeit Nr. 31/2017, 27. Juli 2017, online: https://www.zeit.de/2017/31/zuversicht-gelassenheit-krise-unsicherheit

Ayurveda-Morgenbrei genießen. Den Heilpraktiker treffen.

Ich radle zur Bushaltestelle, schließe das Rad ab, 15 Minuten zu früh. Kleines Holzhäuschen mit zwei Bänken, Geruch nach altem Rauch, Kippen und Spuckflatschen auf dem Boden, Restalkoholfäden in der Luft. Die Schnapsflasche liegt immerhin im Mülleimer.

Ein weiterer Wartender kommt dazu. „Der Bus kommt bestimmt zu spät." [Die Leute beschweren sich so gern – ist es ihre Zärtlichkeit? Gibt es einen Anspruch auf reibungslos funktionierendes öffentliches Fahren? Was täten sie, wenn die totale Pünktlichkeit einsetzte – wohin dann mit dem angestauten Unmut?] Es ist leicht, ins Gespräch zu kommen, an Bushaltestellen. Bittet, so wird euch gegeben? Suchet, so werdet ihr finden? Der Mann an der Bushaltestelle klopft nicht an, sondern beschwert sich über das Nahverkehrssystem, über seine „unfähige Ex", die mit seiner Tochter hier wohnt und ihn zwingt, diese Gegend zu betreten... Als ein Schnorrer mit Zigarillo vorbeikommt, fällt mir auf, dass ich seit Tagen keinen Obdachlosen zu Gesicht bekommen habe. Der unzufriedene Mann schüttelt den Kopf. Ich bin unentschieden. Der Schnorrer geht weiter, spätentschlossen haste ich ihm nach, leise rufend, gebe ein paar Cent, mit schlechtem Gewissen, dass es nicht mehr ist.

Endlich kommt doch ein Bus.

XCI

Im Wellness-Dorf sagt die Thai-Köchin, sie habe an meine Zimmertür geklopft, sich Sorgen gemacht, weil ich nicht da war zum Abendessen, das ich ja gebucht hatte. Ich dachte, meine Abwesenheit fiele niemandem auf, weil die Frauen in der Küche jeden Tag wechseln. Ich hatte keine Lust, mich zu erklären, aber wenn ich es nicht tue, habe ich ein schlechtes Gewissen. Ich erkläre mich unablässig. Wildfremden gegenüber habe ich das Bedürfnis, mein Sein, mein Tun, mein Lassen, mein Bestreben zu rechtfertigen. Meistens geschieht das in einem inneren Monolog. In dem erkläre ich Gott [oder wem], warum ich dies tue, jenes lasse, das fühle. So wie jetzt, schreibend: erkläre ich mich fortwährend, setze mich schreibend ins Unrecht [weil man sich immer ins Unrecht setzt, wenn man sich erklärt, wenn man schreibt], und kämpfe mich wieder heraus. Es kommt mir vor, als hätten andere mehr Recht auf mich als ich selbst, auf meine Gedanken, meine Ehrlichkeit, meine Zuversicht, meine Integrität und Moral. Darauf, meinen Kampf mit dem selbstverschuldeten Unrecht zu lesen.

[Haben sie? Haben Sie?]

XCII

Das Tröpfeln im Sommer ist wie Streicheln.

Der Heilpraktiker öffnet seinen heilpraktischen Bauchladen, er will mir helfen, beginnt mit

Astrologie: Der Saturn stehe auf dem Geburtsmond, das sei wie eine Lupe. Der Mond bedeute: Heim, Mutter, Kindheit. Mit der Lupe des Saturn könne ich die Entwicklung meines Geistes in der Kindheit erkennen. Nachdem ich ihm von Erfahrungen mit häuslicher Gewalt erzähle, spricht er von „Pluto im Quadrat". Das stehe für Gewalterfahrungen. Ich könne Kraft „in dem alten Traumata" [sic] finden durch „Transformation". Dann sei da noch Uranus, im 120°-Winkel dazu, und zwar im Widder. Uranus bringe neue Einsichten. Es gehe um meine Individualität. Wenn ich losließe, könne ich neue Schaffenskraft in meiner dann befreiten Individualität finden.

Es klingt total logisch und total versponnen. Es hat etwas verführerisch Sinnstiftendes. Mein Thema sei in jedem Fall: „Loslassen von alten Zuständen üben." Okay, darauf bin ich auch schon gekommen, aber vielleicht ist es hilfreich, wenn es einem jemand durch die Sterne sagt. Hat schon mal irgendein Ratgeber dazu geraten, man möge *festhalten*? Klingt weniger attraktiv. *Loslassen* muss es sein. Alles loslassen, was bedrückt, was belastet, was vorbei ist. Damit es gewesen sein wird. Futur zwei, die allwissende, die todesmächtige Zukunft.

Dann erfragt er allerlei Details zu meinen Kopfschmerzen. Wann? Eigentlich immer ein bisschen. Wie? Eher so dumpf. Und bei Migräne? Stechend, pochend. Auf einer Seite stärker?

Rechts. Was hilft dann? Was verschlimmert? Er werde alle Daten in ein Computerprogramm eingeben, das ihm das richtige Mittel ausspuckt. Dieses solle ich nach der Anweisung, die er mir ebenfalls mailt, einnehmen, in einem Glas Wasser verdünnt, das Mittel zehnmal auf die Hand klopfen, damit keine „Erstverschlimmerung" eintrete, weil die „Potenz" sich immer wieder ändere, ein oder zwei oder fünf Tropfen, rühren, dann ein, oder zwei, oder vier Löffel, den Rest wegkippen. Eventuell müsse ich auch mehrfach verdünnen, also einen Teelöffel aus dem ersten Glas Wasser in ein zweites Glas Wasser, oder gar hieraus in ein drittes. Das ergibt dann eine hohe „Potenz". Unbedingt mit einem Plastik- oder Holzlöffel – keinesfalls mit Metall! Metall störe die „Schwingung". [Quanten? Oder Quatsch?] Er sagt, das Mittel könne die Migräneattacke aufhalten, wenn die richtige Dosis/Potenz/Frequenz gefunden ist. Ich verschweige: Für so eine Medizin bin ich weder pingelig, noch überzeugt genug. Für meinen Alltag ist Homöopathie nicht praktikabel. Aber die Idee ist reizvoll: Dass es einen Schlüssel gibt, ein Mittel, das genau auf meine Beschwerden passt, in einem bestimmten Moment – und dass ich diesen Schlüssel nur finden müsse. [Doch ich weiß zu genau: Ich werde diesen Schlüssel nicht finden, weil ich ihn erstens längst habe und er zweitens nicht in meiner Hand liegt. Medizin, an die ich glauben muss, damit sie hilft, ist keine Medizin. Oder?]

Wir reden auch ein wenig über Buddha, die liebevolle Güte. Und er empfiehlt mir zwei Bücher von Trauma-Therapeuten.

XCIII

Nach dem Gespräch habe ich über eine Stunde Zeit, in „meinem" Wellness-Zimmer zu sitzen, mich von der Terrasse zu verabschieden. Fällt mir nicht schwer. Gebe den Schlüssel ab und den „Feedback"-Fragebogen, ohne jemanden am Empfang anzutreffen. Gehe zurück zur Bushaltestelle in der Dorfmitte. Warte wieder auf den Bus. Geschenkte Zeit. Kein Mensch in Sicht. Der Wind hat die Regenwolken fortgeschoben und an ihre Stelle weiße Watte an Himmelblau getupft. Bauernhofmaschinengeräusch rumpelt hinter meinem Rücken.

Der Füller kratzt [der Laptop wartet in der Herberge auf mich]. Ich brauche eine neue Feder für den federweißen Lamy. Das Notizheft ist fast voll, was mich nervös macht – ich brauche immer eines in Reserve. Sitze auf der feuchten Bank und denke: *Um die Welt zu verändern, muss ich bei mir selbst anfangen.* Damit beschwichtige ich mein Schuldgefühl, weil ich mich so viel mit meinen Schmerzen beschäftige. Mit meinen vielen *Wehwehchen*, wie ich gelernt habe, sie abzuwerten. Ich ergänze: *Dabei darf ich aber nicht stehen bleiben.* Eine überflüssige Mahnung, denn ich bin längst weitergegangen, aber bei mir selbst nicht geblieben. Bin eigentlich immer unterwegs. Die Schmerzen erinnern mich daran: *Hey, du bist auch noch da. Und du bleibst auch!* Die freundliche Stimme in meinem Innern macht mich misstrauisch.

Eine Frau, ca. 40, gesellt sich zu mir. [Meine Schublade: Arbeiterin.] Sie möchte reden, aber ich lese Zeitung. Der Bus kommt in etwa 20 Minuten. Ein Gespräch über fünf Minuten würde mich erschöpfen, mich aus dem Gleichgewicht bringen. Sie akzeptiert mein belesenes Schweigen.

Einige Minuten später sage ich etwas übers Wetter, und sie hat nur darauf gewartet, mir aus ihrem Leben zu erzählen. Altenpflegerin und Krankenschwester. 23 Jahre Arbeit auf dem Buckel. Würde gern weniger Nachtschichten machen. Holt sich von mir eine Portion Mitfühlen und Anerkennung. Stolz auf ihre Leistung. Heutzutage könnten die Pflegerinnen keine Katheter mehr legen. Sie dagegen schon. Allerdings würde sie es sich bei Männern nicht mehr zutrauen, da sei es viel schwieriger als bei Frauen. Gelernt habe sie in einem konfessionellen Hamburger Krankenhaus.

Der Bus kommt. Als ich aussteige, überlege ich, „alles Gute“ zu wünschen, aber das käme mir übergriffig vor. [Diese Frau wird mir im Kopf bleiben wie alle Menschen, die ich zuhörend in mein Herz lasse, ich kann gar nicht anders. Sie wird verblassen wie die anderen, aber sie wird bleiben. Meine Schublade: Heldin.]

XCIV

Mir ist wohl, Marcuse liegt als Stichwortgeber auf dem Tisch neben dem Laptop.

Mit Ayurveda und allen Wissenschaften hat er das Bedürfnis gemein, ein System zu erschaffen. Ein allgültiges, in das alles passt und erklärbar ist. Das ist noch niemandem gelungen, weil das Widersprüchliche dazu gehört. Ohne Unlogik gäbe es keine Logik, und ohne Verfehlung kein Heil. Zumindest hienieden.

Dass aber alles mit allem zusammenhängt, systematisch oder nicht, scheint mir so offenkundig wie die Tatsache, dass der Zusammenhang nicht in Menschenhand liegt, dieses Nicht-System, dass es nicht vom Menschen erschaffen wurde, sondern eine „Schöpfung" ist, ein Geschenk, eine Gabe. Glauben Ungläubige, es gebe ein System, das sie nur entdecken [ergo: erschaffen] müssten? Den *Schlüssel*? Ich lese, dass Physiker und Mathematiker, je mehr sie erforschen, je mehr Fragen sie beantworten, je tiefer sie ins Weltall vor- und in die Geheimnisse der kleinsten Teile eindringen, desto deutlicher erkennen, dass ihre Erkenntnis endlich ist und begrenzt bleiben wird. Weil da ein unendlich Größeres [und Kleineres] ist, welches außerhalb ihrer Verfügung liegt. Weil das Betrachtete sich ändert je nach betrachtendem

Menschen. Es bleibt sich nicht gleich. Es gibt kein „für sich". Jedes „Objekt" ist eine – vielleicht nicht mal notwendige – wissenschaftliche Fiktion, ein Konstrukt für den menschlichen Geist, der sich selbst als den „Objekten" *gegenüber* phantasiert – *objektiv.* Eine rührende, aber auch lächerliche Vorstellung, denn es gibt nicht ein Ding, dessen Eigenschaften ich, Mensch, unabhängig von mir selbst herausfinden kann. Immer ist auch die Beziehung dabei, die ich, Mensch, zu dem Ding oder Lebewesen herstelle, die das „Objekt" und seine Eigenschaften mitbestimmt – und das wiederum wirkt auf mich zurück, beeinflusst meine Wahrnehmung. [Der Klang, den niemand hört – gibt es ihn? Schallwellen ohne wahrnehmende Sinne von Lebewesen – existieren sie?]

Jedes „System" ist vorläufig. Das Nicht-System, das uns umgibt, erfüllt und bedingungslos bedingt, das uns treibt und nährt, das uns gefährdet und führt, das uns [er]fordert und uns tröstet, liegt nicht in Menschenhand. Nenne man es Kosmos, Liebe, Gott.

Und doch will auch ich ein System. Eine Erklärung. Einen Grund. Ich schreibe, damit Wahrnehmungen Sinn ergeben, weil sie sonst nicht erträglich wären.

XCV

Vor der Jugendherberge warte ich in der feuchten Hitze des Abends. Ich erwarte und fürchte sie. Wie begrüßt man eine Mutter, mit der man hadert? Handschlag? Es ist schwül, eine neue Migräne pirscht sich heran.

Sie kommt, wie verabredet, um kurz vor 19 Uhr in ihrem alten verdreckten Ford. Auf meine Mutter ist Verlass. Sie verfügt, wie sie später [nicht zum ersten Mal] erwähnen wird, über „alle preußischen Sekundärtugenden wie Pünktlichkeit, Zuverlässigkeit – außer Ordnung. Das wirst selbst du bestätigen." Ich nicke: Die Mutter hat uns kaum je warten lassen – anders als der sich ansonsten so preußisch gebärdende Vater, der täglich mehrmals nur dreiviertel im Scherz die Bedeutung von „Zucht, Sitte, Ordnung, Disziplin, Sauberkeit" hervorhob. Pünktlich ist er bis heute nicht.

Ich warte kurz, ob sie zu einer Begrüßungsbewegung ansetzt, doch sie hält sich zurück. Ich drücke ihr – ohne Widerwillen – meine Wange an ihre Wange. „Hallo Mama. Danke, dass du gekommen bist."

Das Auto ist versifft wie eh und je. Hundehaare, Pferdehaare, undefinierbare Haare, undefinierbare Flecken. Immerhin ist es diesmal nicht nass und stinkt nur ein bisschen.

Wir sind beide vorsichtig. Sie ist alt, ihr Gang wacklig. Sie sieht schlecht, glaube ich [das würde sie nie zugeben]. Ich frage mich, ob sie nach Gefühl Auto fährt. Bin überrascht, dass sie sich nicht schick gemacht hat, wie sie es sonst für Konzerte tut. Sie trägt, wie stets, eine

Schirmmütze. „Ich mag keine Sonne auf dem Kopf. Und ich mag nicht die Augen zusammenkneifen müssen."

Wir sind einig. Während des behutsamen gemeinsamen Abends werden wir noch mehr Übereinstimmungen entdecken. Die Kopfschmerzen verwandeln sich in das übliche dumpfe Drücken. [Meine Mutter hat fast nie Kopfschmerzen.]

Ich bin nervös und rede zu viel. [Dies notierend, bin ich mir der Gefahr bewusst, beim Thema „Mutter" bzw. „Beziehung zur Mutter" in die üblichen Muster zu fallen. Ich versuche, präzise zu sein und [mir] keine Dramatik zu suggerieren, sondern – möglichst „sachlich" – genau nach innen und auf meine Mutter schauen. Die Grenzen erkennen. Die Lücke finden. Die Veränderungen. Die Strukturen meines Reagierens und Agierens. Den Filter, den ich über meine Wahrnehmung lege, zu identifizieren und, wenn möglich, versuchshalber wegzulegen: Wie sieht das dann aus? Was werde ich sehen?]

Der Radius meiner Mutter ist beschränkt geworden. Sie wünscht wenig Nähe, aber ein wenig Kontakt, Kommunikation.

„Soll ich dich einladen?", frage ich, hatte extra noch Geld gezogen, aber sie weiß, dass ich in einigen Tagen arbeitslos werde. „Nein, ich zahle", bestimmt sie. „Die Karten sind ziemlich teuer", warne ich. Sie entscheidet sich für „Kategorie II".

Geld war für meine Mutter nie ein Thema, über das es sich zu reden oder zu sorgen lohnt, auch nicht in Zeiten, als sie wenig davon und Schulden hatte. „Geld ist nur Geld“, sagt sie oft.

„Was machst du eigentlich hier?“, will sie doch noch wissen. Ich deute nur an, dass ich eine Minikur gemacht habe, wegen der vielen Schmerzen. Sie geht darüber hinweg. Sie verabscheut es, wenn Leute über ihre Leiden sprechen. Ihr Desinteresse verletzt mich nicht – ich fühle mich nicht zurückgewiesen, sondern *in Ruhe gelassen*.

Mir wird klar, dass ich einen enormen Anspruch an meine Mutter gepflegt habe in der Kindheit: Sie sollte heil machen, was sie kaputt gemacht hatte. Ihre Allmacht hat sie selbst inszeniert. So enttäuschte und verletzte mich jede Begegnung, denn weder konnte sie heilen, noch *wollte* sie überhaupt wieder gut machen. Sie will die Vergangenheit ruhen lassen. Möglicherweise ist das klug. Indem ich mich an frühere Schmerzen klammerte, wurde unsere Beziehung zweidimensional, verflachte und verengte sich auf die lästige, unlösbare Schuldfrage.

Heute Abend geht es nicht darum, nicht um mich oder um das, was war und hätte sein sollen, es geht nicht um all das, was unwiederbringlich zerstört ist – sondern um uns. Es geht um das, was von uns übrig ist, wenn wir den Groll weglassen. Wenn wir die Schuldfrage auf Eis legen, die die dritte Dimension gekillt hat. Wenn wir die dritte

Dimension wieder dazunehmen, könnten wir einander wieder in die Augen schauen, ohne uns voreinander verstecken zu müssen. Wenn wir nicht mehr nur Flächen sehen, vorgefasste Bilder, sondern den Moment im Raum stehen und sich bewegen lassen. Die Begegnung. Eine wacklige, aber heitere und auch spannende Angelegenheit. Ich fühle mich demütig, unsicher, harmoniebedürftig. Habe das Bedürfnis, ihr etwas Gutes zu tun. Hilflos. Frage, ob sie eine Brezel wolle. Sie holt sich selbst eine. „Etwas trinken?" [Kinder von Alkoholikern können aus der Haut der Alkoholiker-Eltern nicht raus.] „Im Moment nicht." Ihre Schroffheit, das weiß ich, ist nicht böse gemeint.

Sie grüßt hierhin und dorthin, wechselt ein paar Worte mit jemandem von der Bürgerinitiative gegen Atomkraft, informiert mich später, wie es ihre Art ist, einen Tick zu laut über einen Mann, der schräg in der Reihe vor uns sitzt: „Der weiß alles, gibt aber sein Wissen nicht weiter, will unersetzbar sein." Schüttelt einem Kinderarzt die Hand, der ein Bein nachzieht – „wir haben mal vierhändig Klavier gespielt." Ich erinnere mich, dass sie mir mal davon erzählt hat. [Meine Mutter spielt in mehreren Ensembles Klavier.] „Und? Hat es Spaß gemacht?", frage ich. Es sei „gut gegangen", aber leider habe sie ihm dann sagen müssen, dass ihr das zu nah sei, „Schulter an Schulter". Wie zur Demonstration reibt sie ihre Schulter an meiner. Reflexhaft stelle ich den

Abstand wieder her. „Ich brauche Raum um mich“, erklärt sie mit einer weiten Geste. „Du verstehst das, oder?“

Allerdings.

XCVI

Das Konzert präsentiert Stücke Alexander Skrjabins [1872-1915], eines, wie mir scheint, rabiaten, doch empfindsamen, draufgängerischen, melancholischen Clowns, der vermutlich an beiden Enden sein Leben zum Himmel brannte. Gefällt mir schmerzhaft gut. Unerträglich wirken jedoch die „synästhetischen“ Hinzufügungen eines Computer-Kunstmachers, der seine Assoziationen auf die Leinwand hinter den Musikern projiziert, so dass das Publikum *seine* Visualisierung sehen muss. Mir wird schlecht davon. Es hilft auch nicht wirklich, die Augen zu schließen, weil das störende Flackern der Projektionen durch die Lider dringt. Die Bilder entfremden mein Hören.

Meine Mutter verlässt den Saal. Anderthalb Titel später folge ich ihr.

XCVII

Sie sitzt mit einem Glas Weißwein in dem zum Konzerthaus zugehörigen Café mit Blick auf die Elbe. Trotz der Mücken ist sie jetzt entspannter. Schmiert sich, Finger ins Glas, Wein auf die Stichstellen. „Vielleicht hilft das.“ Ich erkläre blödsinnig, dass darin Zucker enthalten sei, der die Mücken zusätzlich anlocke und komme mir albern vor.

„Die Bilder sind Körperverletzung", sage ich. „Überflüssig. Störend. Nervig", stimmt sie zu. Sie ziehe es vor, sich ihre eigenen Bilder im Kopf zu machen. Dann möchte sie über Politik sprechen. Schnorrt bei der Kellnerin eine Zigarette, später noch eine. Gibt, wie meistens, viel Trinkgeld. Ich bestelle heiße Milch und ein Wasser. Die Milch tut gut. Ich erzähle, was meine Kinder machen, und dass eine Freundin meiner Tochter, die uns oft zu Besuch bei ihr begleitete, Medizin studiert. „Ich dachte, das interessiert dich. Sie ist glücklich an der Charité." Ja, das interessiert sie. „Aber Medizin interessiert mich überhaupt nicht mehr." Ich muss lachen, so entschieden kommt das aus ihrem Mund. „Warum lachst du?" [Weil sie Ärztin war.]

„Mich interessieren jetzt andere Sachen. Gesellschaftliche Veränderung. Musik. Ob Tiere denken können. Es gibt so viel." Sie liest Harald Welzers *Die smarte Diktatur*. „Wir werden manipuliert!", meint sie. „Irgendwann nehmen sie uns das Denken ganz ab!" Vielleicht ist sie deprimierter, als sie zugibt. „Es ist gruselig, wenn einem alles abgenommen wird", meint sie, während ich Socken aus meiner Handtasche ziehe und über die Füße streife – gegen die Mücken und die Kühle. „Wenn man nichts mehr alleine machen kann, Strümpfe anziehen, Entscheidungen treffen, essen…" Ich habe das Gefühl, dass sie ihre durchs Altern in Gefahr geratenen unbedingten Bedürfnisse – „Unabhängigkeit" und „Freiheit" – vermengt mit den gesellschaftlichen Veränderungen durch elektronische Datenverarbeitung. Wenn sie sich unbeobachtet fühlt, wirkt sie traurig. Nur widerwillig lasse ich ihren Anblick, komme mir übergriffig vor, wenn ich Mutmaßungen über sie anstelle, die ungerufen zu mir kommen, ohne dass ich mich dagegen wehren kann. Oder wenn ich sie betrachte, ihr schmales Gesicht, ihre traurige Schale. Was ist aus ihrer Elefantenhaut geworden? Vielleicht denkt sie ans Altersheim, in das sie auf keinen Fall gehen würde? Eher würde sie sterben, als sich „versorgen" zu lassen.

Als Kind habe ich ihr versprochen, sie nie ins Altenheim zu geben, wenn ich groß und sie alt sei. *Du sollst Vater und Mutter ehren.* Mein jüngerer Zwillingssohn sagte kürzlich zu mir, in ähnlicher Situation, Ähnliches. Ich verbarg meine Rührung wie meine Skepsis angesichts der Vergänglichkeit kindlicher Versprechen. Liebe ist mächtig, Liebe ist schwach. Ich fühle mich an mein Versprechen gebunden, aber drücke mich vor dem Gedanken. Oder rede mir ein, dass sie das selbst regelt und regeln will. Nie würde sie jemandem „zur Last fallen" oder die Distanz zwischen sich und anderen aufgeben wollen. Ihren „Freiraum". Nie würde sie sich in „Abhängigkeit“ begeben. Vermutlich hat sie in irgendeiner Weise vorgesorgt, über die ich nicht nachdenken will. [Beim Vater stellt sich die Frage weniger, weil er eine sehr viel jüngere Frau hat.]

„Haben Sie nicht auch etwas gegen Mücken?“, fragt meine Mutter die Kellnerin, die kassieren kommt, „die Zigaretten helfen nicht!“. Die Kellnerin rechtfertigt sich, sie hätten alles versucht, aber in diesem feuchten Sommer… „Das war nur ein Scherz“, beruhigt meine Mutter. Langsam ist es ihr genug. „Ich werde hier völlig zerstochen.“ Sie zahlt. Wir erheben uns. „War schön, dass du angerufen hast“, sagt sie, fährt mich zurück zur Jugendherberge. „Wir können ja mal wieder in ein Konzert gehen“, schlage ich vor. „Sehr gerne.“ „Komm gut zurück“, sage ich ganz leise, weil ich nicht weiß, ob es in ihren Freiraum eingreift, sich Sorgen um sie zu machen.

Hoffentlich hört sie es trotzdem.

XCVIII

Der Morgen empfängt mich mit leisem Bedauern, dass ich mittags fahren werde. Yoga, Gymnastik, Frühstück in der Jugendherberge. Zusammenpacken. Auschecken. Nochmal, mit Sack und Pack, ins Schwimmbad, das in Bahnhofsnähe liegt. Auf dem Weg dorthin verliere ich einen Schuh, doch ein entgegenkommender Radler weist mich darauf hin, hebt auf, hält ihn mir hin.

Der Zug nach Lüneburg [ich werde dreimal umsteigen müssen] fährt durch gnadengrüne Landschaften, keine Monokultur, keine Erosion, keine hässliche Hoffnungslosigkeit in Sicht. Stattdessen: Augustfülle. Hochsommeratem. Wolkenwärme. Wildwuchswald. Weiches Wasser. Ich verschenke Reiskekse an die Kinder der mitreisenden Radfahrfamilien.

Ständig wechselt das Licht. Ich bin sehr wach. Umsteigen.

Der Zug von Lüneburg nach Uelzen überfährt einen abgebrochenen Baumstamm, hält 30 Minuten auf der Strecke. Die Metronom-Belegschaft informiert auf eine gründliche und freundliche Weise, die ich von der Deutschen Bahn nicht kenne. Es ist weniger unangenehm, warten zu müssen, wenn man erfährt, warum und wie lange voraussichtlich. „Technische Störung ... wir bitten um Entschuldigung" hilft dagegen wenig.

In Bad Bevensen steigt eine Puppe ein, Mitte 20. Schwarze Haare, auffällig hochgesteckt bonbonartiger Haarreif, künstliche Wimpern, lange bemalte Fingernägel, das Make-Up perfekt abgestimmt auf die sommersprossig-braune Haut. Stöpsel im Ohr, perfekte Figur, Jeansshorts mit Extraloch, so dass noch mehr Haut durchblitzt, wohlgeformter runder Busen, anzügliches hübsches Dekolleté. Füllt den Raum, zieht aller Blicke auf sich. Ehe ich meine Schublade aufziehen kann, quatscht eines der Kinder sie an. „Was hast du da?“ Zeigt auf die Lippe. „Ein Piercing“, antwortet bereitwillig die Puppe, nachdem sie sich einen Ohrstöpsel rausgezogen hat. „Das ist wie ein Ohrring. Guck mal.“ Sie streckt ihre Zunge heraus. Noch ein Piercing. „Ihh, du streckst deine Zunge raus“, lacht das Mädchen. Die Puppe lacht auch. „Warum hast du Stöpsel im Ohr?“ „Ich höre nach der Arbeit gern Musik“, erklärt die andere. „Das entspannt mich, ich bin Krankenschwester.“ „Ich höre auch was“, juchzt das Kind, weil aus dem herabhängenden Stöpsel einige Töne kommen. „Meine Tochter freut sich auch immer“, bestätigt die Puppe. In Uelzen steigt sie als erste aus, stapft mit ihren Schnürsandalen auf Blockabsatz in großen, wiegenden Schritten zur nächsten Tat. Ich schaue ihr bewundernd hinterher.

Kaufe eine *Zeit*, um mir die Zeit zu vertreiben von Uelzen nach Magdeburg, und dann von Magdeburg nach Berlin. Versenke mich in den Gedanken anderer.

XCIX

Fast ohne Verspätung komme ich in Berlin an und freue mich, dass jemand da ist: Tochter zwei. Sie hat Schmerzen am Auge. Ich bin wieder Mutter, die tröstet und sorgt. Abends hole ich die

Jungs von ihrem Ausflug bei Oma ab. In einigen Tagen werden sie ein dreiwöchiges Zeltlager antreten.

Ich habe das Gefühl, eine weite Reise hinter mir zu haben, obwohl ich nur wenige Tage weg war und nichts als Regionalzüge, Busse und das Fahrrad benutzt habe.

Wir sprechen über unsere Verstrickung ins Unrecht. Ist es in „die Gesellschaften" gepflanzt, die Lebensgrundlagen zu zerstören und andere zu missachten: mit jedem Kauf- und Verhaltens-Akt [Autofahren, Flugzeugfliegen, Primark-Klamotten kaufen und bald wieder wegwerfen, „Arbeitnehmer" anstellen und dazu nötigen, ihrerseits das Unrecht zu perpetuieren etc.]? Wie ist das zu ändern?

Marcuse stellte sich Menschen vor, die sich *trotzdem* zur Freiheit verändern und am eigenen Schopf aus dem Unrechtssumpf ziehen:

„Sie [die Pariser Mai-Rebellen 1968] haben die Chance, den Punkt zu erreichen, von dem keine Rückkehr in die Vergangenheit mehr möglich ist: falls und sobald die Ursachen beseitigt sind, welche die Geschichte der Menschheit zur Geschichte von Herrschaft und Knechtschaft gemacht haben. Diese Ursachen sind ökonomisch-politische, aber da sie selbst die Triebe und Bedürfnisse der Menschen geformt haben, werden keine ökonomischen und politischen Veränderungen dieses historische

Kontinuum zum Halten bringen, es sei denn, sie werden von Menschen ausgeführt, die physiologisch und psychologisch fähig sind, die Dinge und sich selbst außerhalb des Zusammenhangs von Gewalt und Ausbeutung zu erfahren."[6]

Marcuse in meinem Geburtsjahr. Die Revolution lässt auf sich warten. Bin ich, sind wir dazu fähig? Werden wir lernen, zur Freiheit, zur solidarischen Gemeinschaft fähig zu sein, obwohl wir verstrickt sind in ein System, in dem wir unweigerlich den Zusammenhang von Gewalt und Ausbeutung verstetigen?

Marcuse antwortet: „Der Bruch mit dem Kontinuum von Herrschaft muß ebenso ein Bruch mit deren Vokabular sein."[7] Die „radikale Transformation der Gesellschaft" impliziere „das Bündnis der neuen Sinnlichkeit mit einer neuen Rationalität."[8]

Ich lese weiter. Ich schreibe, suche stur und weich nach der Lücke.

---

[6] Herbert Marcuse, "Die neue Sensibilität", in: "Versuch über die Befreiung", Frankfurt/Main 1969, S. 45.
[7] Ebd., S. 55f.
[8] Ebd., S. 62.

4 Häute

Die Dinge, die im Leben wichtig sind, kriechen unbemerkt in uns hoch, wir erwarten sie nicht, wir haben uns noch keine genaue Vorstellung von ihnen gemacht. Wir erkennen sie, wenn sie da sind, das ist alles.

Doris Lessing

C

Ich erhalte eine Mail: Ein kleiner Verlag will das Buch drucken, das nach Jahren der Arbeit in der Schublade schwelt. Der Verleger schickt einen Vertrag, 300 Stück will er drucken. Freude.

CI

Der Yogalehrer zeigt Mudras: eine fürs Herz, eine zur Erdung, eine, die die Furchtlosigkeit behauptet und eine für die Einheit mit der allumfassenden und inneren Wahrheit. Oder so ähnlich. Eine Mudra ist eine Fingerhaltung, die die Verbindung zu Kosmos und Chakren [=Energiezentren] herstellen soll. Oder ausdrücken. Er singt diesmal lange Mantras. Ich sträube mich innerlich.

Am Schluss fürchte ich mich vor der „End-Entspannung". Meistens kriege ich es nicht hin. Oft ist es eine Qual. Auf dem Rücken liegen und den Gedanken ausgeliefert sein, dass ich's nicht kann. Ich kann mich nicht entspannen. Auf dem Rücken liegend spüre ich in jeder Muskelfaser, in jeder Sehne, in jeder Gehirnzelle die unablässige Anspannung. Etwas leisten zu müssen. In dem Moment: die Leistung *Entspannung!* erbringen. Ich scheitere.

CII

Ich soll ein Flugzeug sein, darf aber nicht fliegen, sondern soll *etwas aus mir machen.* Mehr. Mich verkaufen. *Machen Sie mehr aus sich. Starten Sie jetzt bei Firma XY!* Starten. Und zwar *jetzt.* Werbung ist immer *jetzt. Jetzt kaufen. Jetzt buchen. Jetzt sichern. Starten* – nicht etwa landen, auf keinen Fall warten, ausharren oder gar *Stillstand.* Nachdenken kostet zu viel Zeit! Wie viel Werbemist habe ich schon gelesen, gesehen und gehört: an Häuserwänden, in Zeitungen, in dem überbordenden, überfordernden Internet, im TV, im Radio, von menschlichen Werbeträgern in die Hand gedrückt, ins Ohr geflüstert bekommen? *Du musst dies, um... tu jenes, sonst...* Wie werde ich den Mist wieder los? Wie lösche ich die einfallslosen Lügenstimmen in meinem Kopf.

CIII

Zwei Vorstellungsgespräche verlaufen erfolglos. Der eine „Geschäftsführer" [so heißt das jetzt immer, so heißt das schon lange, egal, was die Firma, die Institution macht/herstellt/bewirkt – es hat ein Geschäft zu sein] hat sich nicht zurückgemeldet, die andere Geschäftsführerin hat mich schon beim Bewerbungsgespräch deprimiert: unklar, nonstop am Reden. „Wenn Sie etwas falsch machen, reiße ich Ihnen den Kopf ab!“, sollte witzig klingen. Noch bevor ich die Absage bekomme, ist mir klar, dass ich trotz des guten Gehaltes Nein sagen würde.

Mittlerweile habe ich 90 Bewerbungen geschrieben. Die Absagen kommen oft so spät, dass ich nicht mehr weiß, um welche Stelle es geht. Das Bedauern ist dann eher abstrakt – konkret ist die Sorge, dass ich keine Arbeit finde.

CIV

Morgens nüchtern zur Blutabnahme. Gesundheitscheck. Ich lasse mich für meinen perfekten Blutdruck loben.

CV

Der Osteopath ist braungebrannt und entspannt. Ich sage, dass ich im Moment wenig Geld habe. „Ich will Sie nicht überreden“, behauptet er, und überredet mich zu einer kostenpflichtigen 30-Minuten-Behandlung gegen Migräne, die eigentlich 45 Minuten dauern soll, aber er rechnet die Gesprächszeit dazu, obwohl er diese per Krankenkasse abrechnen könnte – meine Chipkarte hat er ja auch durchs Lesegerät gezogen. Ich ärgere mich, dass ich nicht nachfrage. Lege mich auf die Liege. Er drückt hier, streicht da, wirkt unentschieden. „Sie sperren sich“, behauptet er beleidigt. „Sie müssen sich aufmachen!“ Mein Körper traut ihm nicht, während mein Kopf seine Ratschläge umzusetzen versucht: Ich solle mir den Kopf als Schwamm vorstellen, in den mein Atem Himbeersoße einzieht und durch die Ohren, an denen Klopapierrollenpappen angebracht wären, ausatmend wieder rauslaufen lassen. Es klingt eklig. Außerdem möge ich immer einen Lappen griffbereit haben, um den Nacken und die Stirn feucht zu kühlen. Die Ratschläge und das Drücken und Streichen kosten 90 Euro. Das Kopfweh ist unverändert stark. Er sei jetzt erst einmal im Urlaub, danach könne ich sehen, ob ich eine weitere Behandlung machen möchte. Ich fühle mich missbraucht.

CVI

Wenn man selbst kündigt, wird man drei Monate gesperrt, sofern kein ärztliches Attest oder Ähnliches vorliegt. Die Hausärztin gibt mir eine Bescheinigung, in der sie mir aus gesundheitlichen Gründen zur Kündigung rät.

CVII

Ich melde mich arbeitslos. Während des Gesprächs mit der Beraterin überschwemmt mich die Traurigkeit, eine depressive Welle. Die Arbeitsagentur ist jetzt mein Arbeitgeber, meint die Beraterin. Ich dürfe in einem Kalenderjahr bis zu 21 Tage hintereinander ortsabwesend sein. „Ortsabwesenheit" bedeutet in ihrer Sprache Urlaub. Dem Antrag auf Arbeitslosengeld soll ich die „Arbeitsbescheinigung" des [Ex-]Arbeitgebers beifügen. Das umfangreiche Formular dazu drückt sie mir in die Hand. Danach erhielte ich den „Bescheid" und das Geld am Ende des Monats aufs Konto. Ich solle meine Bewerbungen aufheben und eine Excel-Liste dazu führen.

Die Worte lösen Panik aus. „Gesperrt", „Melden", „Antrag", „Genehmigung", „Bescheid", „Bezug". Ich komme mir vor wie in einer großen Maschine. Ich habe keine Lust, meine Arbeitslosigkeit zu verwalten.

Ich radle zurück nach Hause, es regnet in Strömen, auch aus meinen Augen. Ich tue mir furchtbar leid. Es ist, als gälte meine Lebensleistung nichts, als sei die Arbeit mit meinen vier Kindern, all die unentgeltliche Arbeit in ehrenamtlichen Bereichen, all mein Streben, meine Moral, mein Bemühen, das Richtige zu tun, nichts wert. Ohne Anerkennung ist eine Leistung keine Leistung. Ohne Leistung hat ein Mensch keine Würde. Ungewürdigt bin ich würdelos. Ich spüre Scham, Ausgeliefertsein. Und Panik.

Ich bleibe nicht zuhause und heule, sondern drucke meine Bewerbungsunterlagen aus und gehe zu einer politischen Veranstaltung. Dort sitzt ein Bundestagsabgeordneter auf dem Podium. Ihm, mit dem ich vor über 20 Jahren eine Nacht zusammen verbrachte und den ich seit Jahren nicht traf, will ich die Unterlagen in die Hand drücken.

Es war eine Arbeitsbekanntschaft. Damals war er Single auf der Jagd nach Trophäen. Ich war eine davon. Er notierte seine Eroberung in ein Heft, noch während ich mich anzog. Als er den Sex bekommen hatte, hörte er auf, lüsterne SMS zu schreiben.

Er hat sich kaum verändert, etwas grauer, etwas herber, reizvoll auf ruhige Art, seiner selbst sehr sicher. Ich weiß nicht, ob er sich überhaupt an jenen Abend in seiner Einzimmerwohnung erinnert und bringe das Thema auch nicht zur Sprache.

Er verspricht, sich mal umzuhören.

CVIII

Ich traue mich mit Gitarre und drei eigenen Stücken auf eine offene Liederbühne. Außer mir gibt es keine Frau mit Gitarre und Mut. Ich bin locker. Zwar habe ich mal in einer Band gesungen und Gitarre gespielt, bin auch mit eigenen Stücken solo aufgetreten, aber das ist Jahre her. Ich hatte Angst, etwas falsch zu machen. Es fiel mir schwer, den Ehrgeiz, den Druck, den unterschwelligen Wettbewerb auszuhalten. Statt *Zeig-was-du-kannst* hätte ich *Du-darfst-dich-zeigen* gebraucht.

Wenn ich singe, liegt meine Seele bloß. Das passt nicht zu Wettbewerb und Konkurrenz. Während eines Auftritts bekam ich so heftiges

Ohrensausen, dass ich fürchtete, zusammenzuklappen. Seitdem habe ich Bühnen nur noch als Chormitglied, zum Vorlesen oder Moderieren betreten und in der Kirche das Evangelium gelesen – nicht von der Kanzel, sondern ganz schlicht von vorne, den Altar im Rücken. Ich mag es, meine Stimme zu erheben. Es fehlt mir, gemeinsam Musik machen.

Mein Lampenfieber ist erstaunlich niedrig. Ich kenne den Laden, weil ich hier schon öfter vorgelesen habe auf einer Lesebühne.

Ich bin als erste dran. Wie meistens, wenn ich erstmal vorne stehe [oder sitze], fühle ich mich richtig. Ich habe kein Bedürfnis zu konkurrieren, im Gegenteil: Ich freue mich, die anderen zu hören. Es könnte so einfach sein, könnte so schön sein, wenn niemand um Anerkennung konkurrieren müsste, wenn jeder seins und jede ihrs zeigen dürfte, gleichwertig, wertgeschätzt, gebraucht. Wenn jede Stimme gehört würde. Dann wären keine Narzissten in Regierungen [weil dem Narzissmus die Grundlage entzogen wäre], niemand müsste rechtspopulistische Parolen wählen, um sich laut zu machen, und es gäbe genug Liebe und Anerkennung für alle. [Amen!]

Träum weiter, Baby. Nee, ich träume nicht, ich singe. Ich bete, wie es sein kann. Wie ich sein kann. Ich kann sein!

Singe von einer Liebe, die keine war, von der brüchigen Heimat Berlin und von der schlimmen Welt, die ein fröhliches Lied von mir fordert. Die Lieder habe ich vor Jahren geschrieben. Der Ton-Mann legt mir guten Hall aufs Mikro. Ich erhalte freundlichen Applaus wie jeder hier. Nach der Pause hätte ich sogar nochmal „gedurft", aber ich habe kein Lied mehr mit, und auch gar keinen Bedarf: Ich bin glücklich, mich getraut zu haben. Einfach so.

In der S-Bahn zurück nach Hause steigt eine Frau mit einem Chinesischen Nackthund ein. Ein Rüde, wobei das Wort „Rüde" nicht zutreffend scheint für ein so verletzlich wirkendes Tier. *Warum tut man das, warum züchtet man frierende Tiere?* Ich gebiete den Stimmen zu schweigen und erlaube mir hinzuschauen: Die Frau heißt den Hund auf einer Decke auf der Bank neben sich sitzen, streichelt ihn. Der Hund ist unruhig, hat weiße Puscheln an Kopf und Füßen, große Ohren und einen seelenvollen Blick aus sanft geschwungenen braunen Augen: einer, den man anschauen *muss*. Der ruft „Hab mich lieb!", und jeder gehorcht.

CIX

Mein Vater nimmt mich und meine ältere Tochter mit zu einem Fußballspiel der Blinden-WM. Ich packe Brötchen und Wasser ein, aber weil wir VIPs sind, gibt es Häppchen und Getränke kostenlos. Die Tochter bemerkt, es sei unlogisch, dass finanzkräftige Leute umsonst essen und trinken dürfen und auch kein Ticket kaufen müssen.

Mein Vater hält eine kurze Rede zur Eröffnung, verschränkt dabei die Arme. Er trinkt Sekt, dann Bier. Sieht traurig und nicht ganz gesund aus. Er sagt grundsätzlich nicht, wenn ihm etwas weh tut. Mein Vater ist mein äußerer Leistungsträger. Ein Pflichtmensch. Einer, der über Gefühle stolpert, aber nicht spricht, niemals, nicht wirklich. Ein Gewitter ergießt sich über dem Stadion. Das Spiel wird unterbrochen. Die VIPs drängeln sich feucht im Zelt.

Auf den Kompostklos steht „VIP"-Toilette. Die Sägespäne zum Streuen sind aus. Es stinkt wie auf den Nicht-VIP-Toiletten, aber statt einer Spanplatte gibt es eine edelhölzerne Klobrille. Ansonsten gilt auch hier das Motto meiner Schwester: „Innen sind wir alle Fleisch und Blut und Knorpel und Kacke."

Der Regen schüttet weiter. Das Spiel wird auf morgen verschoben. Ich will nach Hause, die Tochter auch. „Ist es okay, wenn wir jetzt gehen?", frage ich den Vater, und ob er nicht mitkommen wolle. Er zuckt mit den Schultern, schüttelt den Kopf. Ich habe ein sinnlos schlechtes Gewissen, ihn „allein" zu lassen, wechsle noch einige Worte mit ihm, um es zu beruhigen.

Auf dem Weg zur S-Bahn springen wir über Flüsse auf dem Gehweg, meine Tochter und ich, stapfen in Pfützen, werden nass, lachen. Ein toller

Regen. Der geldgeile Arzt hat recht: Ich muss mich aufmachen. Aufmachen und loslassen. Loslassen und Aufmachen. Auflassen und Losmachen. Auf.

CX

Etwas kommt, etwas geht. Meine Angst vor all den Wochen, in denen die Jungs verreist sind, ich nicht gebraucht werde, erweist sich als unbegründet. Der Job ist vorbei, ich habe keinen Ort, der mich jeden Tag braucht, nur diesen Schreibort, den ich brauche. Ich bin auf mich gestellt – und leide nicht, wie befürchtet, sondern atme auf. Etwas passiert. Ich gehe fast jeden Abend aus, denke, schaue, suche, zweifle, schreibe, hoffe – und spüre, zum ersten Mal seit Jahrzehnten [so kommt es mir vor], jene verschüttete Ahnung eines zu Kommenden, von etwas Spannendem, habe ein Kribbeln im Bauch, in dem *nicht* Angst überwiegt, sei sie auch beigemischt, sondern die Bereitschaft loszugehen, ins Offene, weil mich etwas erwartet. Weil ich etwas zu geben und zu empfangen habe. Unverdient – einfach so. Und ich muss noch gar nicht wissen, was es ist und werde es vielleicht auch nie wissen und nie wissen müssen: das Abenteuer leben, das ich lebe.

CXI

Die Agentur, für die ich vor meiner befristeten Anstellung freiberuflich getextet habe, erbittet ein Angebot für einen Auftrag: Fahrradwege in Brandenburg und Städtebeschreibungen. Mir ist klar: Wenn ich zu teuer bin, bekomme ich den Auftrag nicht. Ich wäre Subauftragnehmerin. Die Letzte in der Kette. Ich recherchiere, wie viel Texte kosten. Die Gewerkschaft befindet alles unter sechs Cent pro Wort für Dumping. Ein Anbieter wirbt mit „ab 1,3 Cent pro Wort“. Das wäre tief unter Mindestlohn. Ein Stellenangebot sucht „Lektoren“ für zehn Euro pro Stunde, zwölf bis 15 Stunden pro Woche, frühmorgens. Meine Tochter bekommt 12,45 Euro für einen langfristigen Studierendenjob. Geld ist etwas Merkwürdiges, etwas Werkwürdiges? Eine neue Zukunft als freie Texterin scheint nicht die Bombenperspektive zu sein. Ich schreibe ein Angebot mit sechs Cent pro Wort.

CXII

Eine Anthologie will ein Lied von mir drucken. Keine meiner Erwerbs-Bewerbungen fruchtet.

CXIII

Im Wahlkampf mache ich mit bei der Frühverteilung vor dem S-Bahnhof, Menschen strömen, die zur Arbeit müssen – und ich muss danach nicht zur Arbeit, sondern nach Hause, Bewerbungen schreiben. Langsam wird es langweilig. Noch habe ich zu tun, Ordner aufräumen.

Ich bewerbe mich auch auf „Freelance"-Aufträge. Texter-Jobs. Biete eine Schreibwerkstatt an. Gebe ein Angebot für die Transkription von Zeitzeugeninterviews in die Mail, obwohl ich Schwierigkeiten habe, die Zeit und damit das zu veranschlagende Honorar auszurechnen. Der Auftraggeber will wissen, wie viel 1500 Zeichen Transkription kosten. Brutto natürlich. Ich schreibe zuerst 15 Euro, recherchiere dann, korrigiere auf fünf Euro. Vermutlich wäre das ein Bruttostundenlohn von 20 Euro. Aber besser als nichts. Mein Angebot wird nicht akzeptiert. Ich will wieder arbeiten! Ich will Teil dieser Gesellschaft sein! Mich nicht mehr wertlos fühlen.

Ich will dem Arbeitsmarkt nicht „zur Verfügung stehen" – ich will arbeiten. Ich finde, Arbeit sollte überhaupt nicht auf einem Markt erhältlich und verkäuflich sein. Geht es auch anders? Ich würde gern arbeiten um der Arbeit willen. Um des Lebens willen. Um der Welt, meiner selbst und meiner Kinder willen. Arbeiten, weil Arbeiten zum Leben und Dasein gehört. Arbeiten, nicht, um zu leben, sondern arbeiten als Teil des Lebens. Anständig. Sinnvoll.

Ist es vermessen, etwas Sinnvolles arbeiten zu wollen? Zeitzeugeninterviews für eine Stiftung abzutippen, nach akribischen Vorgaben, wäre vermutlich sinnvoll. Werbetexte für zwei Cent pro Wort zu schreiben dagegen weniger sinnvoll.

Diesen Text hier zu schreiben – sinnvoll?

Keine Ahnung. Jedenfalls notwendig.

CXIV

Ich gehe zum Chor, die werdende Herbstluft in den Lungen, und spüre intensiv eine [neue?] Erfahrung: Wenn ich mich nicht unter Druck setze, ist alles viel schöner. Warum setze ich mich mein Leben lang unter Druck? Mit allem, was ich tue, Chor, Lieder schreiben, singen, putzen, Texte schreiben, Kinder beim Großwerden begleiten, erwerbsarbeiten, mit Menschen sprechen – bei allem mache ich mir Druck.

Ich komme an einem dicken Auto vorbei, dessen Fahrerscheibe ein Siebtel offensteht. Der darin Sitzende, etwa 60 Jahre, Schnurrbart, graue Haare, drahtig, kratzt sich im Gesicht herum. „Gemeinsam entschleunigen", klingt es aus dem Autoinnern – eine CD, ein Hörspiel? Radio? – „Loslassen mit Achtsamkeit..." Dann bin ich vorübergegangen. Und denke, dass der Mann nicht so aussah, als könne er sein Gesicht oder irgendetwas loslassen. Und frage mich, ob jeder insgeheim sich danach sehnt, Anweisungen zu bekommen wie: *Lass los, mach langsam, steig aus der Mühle aus, atme tief ein, schau unproduktiv in die Gegend...*

An einem Baum steht eine Frau und hält mit geschlossenen Augen ihre flachen Hände auf die Rinde. Ich glaube, ich weiß, was sie fühlt: Himmel. Und Erde.

CXV

Wie soll ich all meine Vergangenheit in die Zukunft schleppen?

CXVI

Von der Unruhe ruhe ich mich aus in kapitalistisch strukturierter Gastronomie: käufliche Gastlichkeit. Ich kaufe die Geborgenheit freundlicher Kellnerinnen und Kellner an mir halbvertrauten Orten. Die Einzige, die so handelt, bin ich nicht, ein einsamer Ab-und-zu-Stammgast unter einsamen Stammgästen. Einsam bin ich gar nicht. Bin ich's? Wenn ja, darf man es mir auf keinen Fall ansehen. Sieht man's? Einsamkeit ist peinlich. Ein Grund für Scham. Hinter Einsamkeit, so die Überzeugung, steckt Versagen. Also lächle ich. Lese. Tue und bin beschäftigt – schreibe in dieser Ferne, aus der ich Nähe phantasiere. Oder höre mehr oder weniger überzeugende Livemusik, weil der Tonmann mich interessiert. Das Interesse beruht nicht auf Gegenseitigkeit. Er hat ein rotes Trinkergesicht, einen hübschen Po, schlanke kräftige Arme, eine aufrechte Haltung, eine mich anrührende Lebenserfahrung im Blick [da geht mein ganzes Kopfkino an] und eine gute Stimme, die ich hören kann, wenn er zu anderen etwas sagt, rauchend vor dem Lokal. Meine Zurückhaltung trifft auf sein Desinteresse – nichts passiert. Ich gehe dort hin, nur um zu schauen, wie er an den Knöpfen dreht und sein drittes, viertes, fünftes Hefeweizen trinkt, dabei voll funktionsfähig bleibt. Er ist ein guter Tonmann. Den Vergleich habe ich, wenn er nicht da ist, was mir eine laue laute Enttäuschung verursacht, als würde ich ihn kennen. Tue ich aber nicht.

Ich schaue zu ihm hin, um zu wissen, dass er nicht schaut, und dass er mir genau deswegen gefällt. Das ist meine Distanzkrankheit.

CXVII

Manche Absage kommt so spät, dass ich gar keine Lust mehr hätte, dort zu arbeiten, wenn sie eintrifft. „Sehr geehrte Frau K., wir bedanken uns für die Übersendung Ihrer Bewerbungsunterlagen und Ihrem Interesse XY. Wegen der zahlreichen qualifizierten Bewerbungen ist uns die Entscheidung über die Besetzung der Stelle nicht leicht gefallen. Bitte haben Sie deshalb Verständnis, wenn wir Ihnen mitteilen müssen, dass wir uns für eine andere Person entschieden haben. Für Ihre Zukunft und Ihren weiteren beruflichen Lebensweg wünschen wir Ihnen viel Erfolg und alles Gute. Mit freundlichen Grüßen Z“

Manchmal kommt auch Wochen vorher erst eine automatisierte „Eingangsbestätigung“. Die Absagen und Eingangsbestätigungen unterscheiden sich. Ich betätige mich als Orakelleserin: Bedeutet ein „herzlicher Gruß“, dass ich in Frage komme, auch wenn ich mich bitte gedulden möge, weil der Auswahlprozess „einige Zeit in Anspruch“ nehme? Man werde „so schnell wie möglich wieder“ auf mich „zukommen“. Ist das gut? Anlass zur Hoffnung?

Spekulation ist sinnlos, erfolgt aber so automatisch wie die Mails. Anlass zur Hoffnung ist nur ein Telefonanruf mit der Einladung zum Vorstellungsgespräch.

Mit jeder Woche, die mir neue Absagen bringt, erhöht sich mein Alter, verstärkt sich meine immanente Schwervermittelbarkeit.

Im Radio höre ich, dass es „immer mehr“ befristete Arbeitsverträge gibt. Vor allem junge Leute seien betroffen. Nur 40 Prozent würden „übernommen“ vom befristenden „Arbeitgeber“. Befristung hin-oder-her – ich möchte jetzt arbeiten. Weitermachen. Reinkommen. Mit Leuten zusammen etwas schaffen. Befristet heißt ja auch: Offen bleiben. Mal sehen, was kommt. Arbeitslos hingegen heißt: Stempel drauf.

CXVIII

Sätze, die ich nicht sofort schreibe, verpuffen im Kopf. Ich bräuchte ein permanentes Aufnahmegerät mit Sieb – die guten ins Töpfchen, Verlegenheitsbuchstaben in den Ausguss.

Ich kann besser schreiben, wenn ich nicht arbeitslos bin. Wenn ich weniger Zeit „habe“. Erwerbsarbeit sät Erfahrungsinseln, Sehnsuchtsschluchten, Verlegenheitskrakel. Erwerbsarbeit schlägt Schneisen ins Schreiben, die ich brauche. Ein Ersatz sind Fußballspiele in der Kneipe, Konzerte in der Kirche, die auf Spendenbasis auch mich akzeptieren, Kulturkram, passiv oder aktiv, meinen Sohn bei einem Handballspiel anfeuern – so was.

Ich notiere: Wenn Leistung nichts mehr mit Liebe zu tun hätte, wären sie frei [die Liebe – und die Leistung!]. Oder? Ich wäre frei. Der Gedanke fühlt sich gut an.

Ich schreibe mir Mut zu.

CXIX

Der Riss in der Welt geht durch mich hindurch. Ich nehme ihn mit zu einem weiteren Vorstellungsgespräch für eine befristete Stelle, „Vollzeit", auf die ich mich am letzten Tag der Frist doch noch beworben hatte, zweifelnd, ob es „das Richtige" sei. Ich roch: ein Wespennest. Stress. Überforderung. Zwiespältigkeit.

Der Mann, der mich spät am Abend deswegen anruft und zum Bewerbungsgespräch bittet, klingt nicht unangenehm. Er würde mein Chef, falls ich den Job bekomme. Ob ich irgendetwas vorbereiten müsse, frage ich. „Nein, nein!"

Die Kleidungsfrage macht mir am meisten zu schaffen. In Jackett und Businessklamotten sähe ich verkleidet aus, besitze ich auch gar nicht. Kurz erwäge ich, einfach in Bluejeans und Bluse hinzugehen. Verwerfe es, weil das respektlos wäre.

Mit meiner Kleidung gilt es anzudeuten, dass ich die Sache ernst nehme und die Leute achte. Leute achten passiert auch über Kleidung, obwohl das unlogisch ist. Ich wünschte, ich hätte einen Stil gefunden, der sich den jeweiligen Erfordernissen anpassen kann, ohne mich zu verleugnen. [Kleidung ist überhaupt eine schwierige Sache für mich: An manchen Tagen sieht alles blöd aus, nichts passt – ich passe in keine Klamotte. An manchen Tagen will ich mich verstecken. An manchen Tagen fühle ich mich mit mir fremd in jedem Kleidungsstück.]

Jemand rät mir zu *smart casual.* Ich google, was das ist: etwas edlerer Mainstream. Ich habe nur *casual*, und ein paar schwarze Sachen für Chorauftritte in der Kirche. Habe auch keine Schuhe; die Schuhe sind stets das größte Problem: Sie dürfen nicht weh tun, aber die „guten" tun weh. Und wenn ich mich „schick mache", fühle ich mich, als wäre ich eine Hochstaplerin, denn ich bin nicht schick, ich bin nicht schön. Schick-gemacht wird zu deutlich, dass ich eine Hoch-staplerin *bin,* ich bin keine Businessfrau, meine Klamotten kommen aus fair produziertem Öko-versand und machen „nichts her". Dass ich eine Hochstaplerin bin, merkt jeder, ich mache nichts vor. Ich behelfe mich mit schwarzer Jeans, rot glänzendem armfreien Top [vielleicht tatsächlich *smart casual*?], darüber schwarzer Pulli, der franst [Wolle]. An dem Wollmantel, der sich als zu warm herausstellt, finde ich Fusseln und Fäden im Zug auf dem Weg zum Termin. Die schwarzen Pumps, die nicht ganz so doll drücken, sind über 20 Jahre alt. Sie gehören in die Zeit des *One-Night-Stands* mit dem Bundestagsabgeordneten. Den Staub wische ich weg. Ich werde einige Schritte damit gehen müssen, weil ich, wie immer, wenn ich nicht mit dem Rad unterwegs bin, mit den „Öffentlichen" fahre.

Am Tag des Termins bin ich nervös wie vor einer Verabredung in Liebesdingen. Der Arbeitsort liegt 30 bis 45 Minuten Fahrzeit entfernt in einer Umlandstadt. Ich erscheine zu früh. Die Sekretärin im Büro schüchtert mich ein, so *tüchtig* wirkt sie. Tüchtig und verwurzelt und selbstbewusst – das Gegenteil von mir. Allerdings wirke ich wahrscheinlich auch tüchtig und selbstbewusst, frage, begrüße per Handschlag, mache einen Spruch. Die Umgebung signalisiert: Hier müsste ich wohlerzogen sein, *sehr* wohlerzogen – ein Verhalten, das ich auf meiner letzten Stelle üben konnte, und das eine wohltuende, aber auch entfremdende, inneren Trotz erregende Distanz herstellt zu meiner Vergangenheit, auch zu meiner antiautoritären verkrüppelten Kindheit, die es zu verstecken gilt, natürlich, wie den Riss, die aber zu mir gehört, und die sich besänftigen lässt durch freundliche Formen und Worte.

Bevor ich zum Gespräch in den Sitzungsraum gebeten werde, erhalte ich eine Schreibaufgabe, die ich in 15 Minuten lösen soll. Ich fühle mich angeregt, angestrengt, in meinem Element: an den Tasten, mit den Worten, mit einer Herausforderung. Auf sicherem Terrain. Ich will gefallen mit meinen Worten, will den richtigen Ton treffen. Ich bin unzufrieden mit dem Gestammel, das ich verfasse, zu viele Substantive, zu viele Passivkonstruktionen, zu wenig Esprit.

CXX

Beim Gespräch sitzen mir vier Leute aus den wichtigen Bereichen der kleinen Institution gegenüber: der Verwaltungschef [Mitte 40] in Schlips und Kragen, mein möglicher künftiger Vorgesetzter [60 Jahre] eher leger in Hemd, Pulli und Jeans, eine gut 50jährige Teamleiterin mit dicker Kette über der bunten, aber doch *gutbürgerlichen* [also nicht hippiemäßigen] Bluse, etwas Schmuck, dezente Frisur, keine Schminke, flache Schuhe, und die jüngere Mitarbeiterin, um deren Vertretung es geht, weil sie Elternzeit nimmt, mit Schwanger-T-Shirt, Jeans, Jackett und ungeschminktem Gesicht. Mir scheint, ich bin zumindest nicht auffällig *underdressed.*

Nacheinander fragen sie mich ab, auch wenn sie das so nicht bezeichnen würden, haben Listen vor sich, haken ab: Was kann die Frau? Wie reagiert sie? Ich bleibe offen, direkt, lasse mich tragen von meinen eigenen Sätzen, von meinen Blicken, die ich mal an das eine, mal an das andere

Augenpaar richte, je nachdem, wer mich fragt. Oft spreche ich auch in den Raum hinein, ohne jemanden anzusehen, wie es meine Art ist, wenn ich ins Offene formuliere, wenn ich mich konzentriere, um die richtigen Worte zu finden: Es würde mich ablenken, jemanden zu fokussieren, während ich nachdenkend spreche, weil dann die möglichen Worte des anderen durch dessen Augen und Ausstrahlung auf mein Sprechen rückwirken, es mitunter beeinträchtigen, in jedem Fall verändern. Das ist vermutlich technisch unhöflich, aber notwendig: mich immer wieder mir selbst und dem großen Ganzen zuzuwenden, zu horchen: Was will ich sagen. Was wäre klug. Was wäre Lüge.

CXXI

Die Zusage kommt zwei Tage später. Sie haben sich einstimmig für mich entschieden. Ich kann das nicht glauben! Passe ich dorthin? Ich möchte nicht dabei ertappt werden, etwas nicht zu können.

Ich möchte nicht dabei ertappt werden, nicht perfekt zu sein. Dabei ertappe ich mich ständig unwillig selbst: Nein, ich bin nicht perfekt. Ich täusche das auch nicht vor, weiß aber nicht, ob ich aus Versehen etwas vorgetäuscht habe, ein Selbstbewusstsein, das ich nicht habe, eine Erfahrung, die es nicht gibt, eine Umgänglichkeit, die ich nur spiele. Sie werden mir auf die Schliche kommen. Alsbald werden sie mir auf die Schliche kommen, dass ich – nur ich bin. Es ist nicht zu schaffen, mich passend zu machen. Dass es nicht zu schaffen ist: ich zu sein und in der Welt zu sein. Ich bin in dem Riss. Es liegt nicht mal in meiner Hand, denn der Riss macht mich zu einem sperrigen Wesen, das dem rollenden Sisyphos-Stein hinterherhinkt..

So rollt der Stein immer wieder hinab und ich hinterher. Das Tal ist tief, doch die Schweißperlen beim Hochrollen lenken von der Unstimmigkeit dieses Daseins ab. Ich mag es, mich anzustrengen. Ich mache es mir schwer und wundere mich, dass ich unfähig bin, mich zu entspannen. *Fünfe gerade sein* zu lassen. Meine Fünf ist nicht gerade. Ich bin zu krumm dafür, gebeugt unter der Last, die ich mir als von mir selbst auferlegt phantasiere. Der Schmerz ist enorm, wird nur übertroffen von der täglichen Mühe der Verdrängung. Ich rolle und schiebe und beiße die Zähne so heftig zusammen, dass ich nachts mit einer Beißschiene schlafen muss.

CXXII

Ich nehme die Stelle an. Im Scheitern habe ich Erfahrung. Auch in der Hoffnung, dass es diesmal klappt.

CXXIII

Geprägt durch die Arbeit am Computer blicke ich automatisch, jetzt, während ich dies an der Schreibmaschine tippe, nach unten rechts, wo auf der Schreibmaschine die Umschalttaste ist, wo aber auf dem Monitor die Zeitanzeige wäre. Ich fühle die ständige Ablenkung durch den Computer noch im Nachhinein, Impulse, die Mails zu *checken*, zu schauen, ob jemand etwas will, ob es etwas zu planen, zu organisieren gibt – ob ich reagieren muss.

Ich drehe mich um und sehe auf dem Wecker neben meinem Bett: Es ist zwanzig vor fünf. Hat das eine Bedeutung? Warum wollte ich das wissen? Meistens spüre ich die Uhrzeit ohnehin, bin durchgetaktet.

CXXIV

Die Zweifel kommen in Wellen: Wird die Stelle die richtige sein? Bin ich die Richtige? Ich habe eine unüberschaubar große Angst zu scheitern, mich zu verkrampfen, mich fernab von meinen Begabungen bewegen zu müssen, wieder mal. [Einmal war es so schlimm, dass sie mich noch in der Probezeit gefeuert haben – nicht, weil ich den Job nicht machen konnte, sondern weil ich ihn zu gut machen wollte, Verbesserungsvorschläge machte, Finger in Wunden legte. Damals hatte ich mich wochenlang in ein mir fremdes Thema eingearbeitet, in Kauf genommen, dass ich allerlei Dinge würde tun müssen, die mir nicht guttun: Verwaltung, Geldsachen, in unangenehmer, dunkler Umgebung, bei schlechter

Bezahlung arbeiten. Ich war geschockt und erleichtert, als sie mir kündigten.]

Noch bevor ich den Vertrag unterschreibe, noch bevor ich überhaupt weiß, wie wenig Gehalt ich erhalte, zerbreche ich mir den Kopf darüber, nicht gut genug zu sein, nicht genug Fähigkeiten zu haben, den Erfordernissen nicht gerecht werden zu können – und versuche, dem entgegenzuwirken, indem ich *noch schnell* etwas dazu lerne. Damit ich genüge [obwohl mir das ja unmöglich ist: zu genügen]. All das, was ich kann und weiß, erscheint mir selbstverständlich, und deshalb nichtig, denn das kann und weiß ich ja schon – das bin ich ja. Was ich kann und weiß, erscheint mir nichts wert. Alles, was ich *nicht* kann, ist das Gute, Bessere. Was ich kann, ist nichts wert, weil *ich* es ja kann. Weil ich *weiß*, was ich alles nicht kann.

CXXV

Ich sitze meinem künftigen Vorgesetzten, dem Verwaltungschef und der zu vertretenden Mitarbeiterin gegenüber [oder sitze ich mit ihnen zusammen?] und akzeptiere die Befristung und das Gehalt, das sie mir anbieten. Ich weise wiederholt darauf hin, was ich nicht kann, damit sie mich nicht dabei erwischen, später. Sie können nicht wissen, dass ich *im Grunde* gar nicht gut genug sein *kann*. Weil ich *als solche* eine Hochstaplerin bin. Vielleicht habe ich Glück, und sie werden es nicht herausfinden in dem Jahr, in dem ich für sie arbeiten soll. Vielleicht habe ich Glück, und ich werde nicht lügen müssen und dennoch bleiben dürfen. Vielleicht erhalte ich eine geliehene Wertschätzung und, bestenfalls, Duldung [auch von mir selbst].

Es klingt wahrscheinlich nicht so – aber ich bin sehr glücklich: in eine neue Arbeit und ans Ende dieses Textes geraten zu sein. Dankbar bin ich. Ich danke Gott. Es wird ein heißes Rennen gewesen sein, das Leben. Ich wünschte, jemand würde sagen „Dich habe ich gesucht zum Langsamseindürfen. Erlaube mir, Dich zu bremsen."

Nachsatz:

Sie sind die Welt, und ich bin die tickende Uhr. Ich laufe und laufe, bis ich nicht mehr kann. Dann steht die Welt still. Zwischendurch glücke ich.

Ob das Glaube ist oder Not, Lösung oder Lust, ob das Land ist oder Liebe, ob das Heimat ist oder lachende Furcht? Belagerung? Befreiung?

Es wird keine Zukunft ohne Vergangenheit sein. Wenn alles nur noch vorbei ist. Fangen wir an: *Die Freiheit der Person ist unverletzlich...*

Marta
press

Tag X
Ein gut gemachter Fake

von Emily Williams

Eine selbstbewusste, internetaffine Frau, fast 50, trifft sich aus purer Abenteuerlust mit einem populären Blogger, der verhaltensauffällig ist und mindestens ein Suchtproblem hat. Ihr Date endet weder mit Sex noch mit einer Beziehung, doch durch das Treffen wird sie inspiriert. Sie plant einen großen Coup am Tag X gegen die stetig wachsenden Facebook-Fangruppen der AfD vor der Bundestagswahl 2017. Trotz ihrer unterschiedlichen politischen Ansichten zeigt sie Emphatie bei dem Niedergang des Mannes. Und gleichzeitig ist sie Strategin: Sie beschreibt ihren Weg, die Hetze und die Fake News der AfD bei Facebook abzuschalten. Wenigstens zeitweise. Humorvoll und dennoch mit ernstem Hintergrund wird hier widerständige, linke Netzgeschichte dokumentiert.

Marta Press, 2019, 160 Seiten
ISBN: 978-3-944442-42-6
18,00 € (D), 20,00 € (AT), 22,00 CHF UVP (CH),
22,00 US$, 18,00 GBP, 32,00 AU$

Unvermeidbare Beeinflussung

Juliane Beer

Auf dem Dachboden eines Neuköllner Mehrfamilienhauses treibt ein Geist sein Unwesen. Das zumindest vermuten die Bewohnerinnen, bis der Vermieter tot im Treppenhaus aufgefunden wird. Kommissarin Liz Feldmann nimmt die Ermittlungen auf…

Juliane Beer gelingt mit diesem Krimi ein Balanceakt zwischen Klischee und Realität, der humorvoll und beinahe nebenbei gesellschaftliche Schieflagen aufdeckt.

Marta Press, 2016, 156 Seiten
ISBN: 978-3-944442-57-0
Preise: 14,00 € (D), 15,00 € (AT), 17,00 CHF UVP (CH), 16,00 US$, 12,00 GBP, 21,00 AU$

**Frau Doktor E.
liebt die Abendsonne**

Juliane Beer

Frau Dr. E., Mitte 40 und Single, arbeitet kompetent und engagiert als Ärztin in Kapstadt, Berlin und Hamburg. Unruhig wird sie, als sie nach Antritt einer neuen Arbeitsstelle in der norddeutschen Provinz im *Ärzteblatt* lesen muss, dass möglicherweise eine „falsche Ärztin" in Deutschland unterwegs sei ...

Marta Press, 2015, 236 Seiten
ISBN: 978-3-944442-31-0
Preise: 14,90 € (D), 15,50 € (AT), 21,90 CHF UVP (CH)